Chère Lectrice,

En ouvrant ce livre de la Série Harmonie, vous entrez dans le monde magique de l'aventure et de l'amour.
Vous connaîtrez des moments palpitants, vous vivrez avec l'héroïne des émotions inconnues.
Duo connaît bien l'amour. La Série Harmonie vous passionnera.

Harmonie : des romans pour faire durer votre plaisir,
quatre nouveautés par mois.

Paysage de la Virginie

Série Harmonie

LYNDA TRENT

Les ombres de minuit

Les livres que votre cœur attend

Titre original : *Taking Chances* (68)
© 1984, Dan and Lynda Trent
Originally published by SILHOUETTE BOOKS,
division of Harlequin Enterprises Ltd,
Toronto, Canada

Traduction française de : Marc Tardieu
© 1985, Éditions J'ai Lu
27, rue Cassette, 75006 Paris

Chapitre 1

Jane se gara contre le rebord du trottoir et concentra son attention sur la plaque d'immatriculation de la voiture stationnée dans l'allée. Cela ne faisait aucun doute. C'était bien la Chevrolet rouge dernier modèle dont il était question dans le dossier.

Elle fit un appel de phares pour indiquer à Bert qu'il pouvait approcher la dépanneuse. Puis elle sortit de sa vieille Ford bleue et traversa une cour à l'aspect négligé. Elle n'avait aucun maquillage et ses longs cheveux noirs étaient noués sans élégance sur sa nuque. Bien qu'elle ne fût vêtue que d'un jean défraîchi et d'une chemise en coton, il se dégageait de sa silhouette une impression de grâce et de souplesse.

Tandis qu'elle grimpait prudemment les quatre marches de béton qui menaient à la porte, Jane eut soudain le sentiment d'être observée. Les épaules raides, elle appuya sur la sonnette. Comme personne ne répondait, elle frappa, discrètement d'abord, puis un peu plus fort.

Perplexe, elle jeta un œil sur la rue sinueuse et escarpée, bordée de maisons identiques. Au loin, des montagnes bleues s'élevaient vers le ciel avec une majesté qui contrastait avec la misère de ce quartier. De nouveau, elle frappa à grands coups sur la porte et se tourna vers Bert. Assis au volant de la remorqueuse, il attendait toujours ses instructions. Des paroles indistinctes s'échappèrent alors de l'intérieur de la maison. Les rideaux sales s'agitèrent et presque aussitôt la porte s'ouvrit. Un homme d'allure imposante, vêtu d'un bleu de travail, sortit et la regarda avec méfiance, une canette de bière à la main.

— Que voulez-vous ?

— J'appartiens à la Société de crédit Palmer. Je viens saisir votre voiture. Pourriez-vous me donner les clés, s'il vous plaît ?

L'homme la regarda fixement. Bien qu'il sentît l'alcool et la sueur, Jane nese laissa pas impressionner et tendit fermement la main.

— Qui est là, Harry ?

La voix rauque d'une femme résonna à l'intérieur. Jane vit nettement quelqu'un se cacher derrière les rideaux.

— C'est une dame qui veut la voiture de Butch, hurla l'homme.

Il ajouta à l'intention de Jane.

— Cette voiture appartient à mon frère. Si vous la voulez, adressez-vous à lui.

— Où est-il ?

— Il n'est pas là. Allez-vous-en !

Jane fronça les sourcils. C'était sa première saisie. Elle se doutait bien que ce ne serait pas facile, mais elle ne s'attendait pas à être reçue de cette façon.

— Allons ! Je suis sûre que vous avez les clés. La voiture bloque l'entrée de votre cour. Donnez-les-moi ou je la fais remorquer.

— Harry ! cria la femme. Qui est-ce ?

— Il me serait désagréable de mettre ma menace à exécution, répéta Jane. Si vous voulez bien me donner les clés.

L'homme la regarda comme si elle tenait un langage incompréhensible. Imperturbable, elle se retourna.

— Remorquez-la, Bert.

— Ah ! non, gronda l'homme.

Il jeta sa canette de bière dans la cour et écarta Jane. Tandis qu'il se précipitait vers la voiture, elle le vit extraire les clés de sa poche. Le temps de s'élancer à son tour et, déjà, il avait démarré. Réduite à l'impuissance, elle ne put que la regarder partir sur les chapeaux de roues.

— Ce sera pour la prochaine fois, dit-elle à Bert, d'un ton résigné.

Celui-ci la salua et regagna son camion.

Avant de partir à son tour, Jane jeta un dernier coup d'œil sur la maison et se laissa apitoyer un instant par le spectacle de son extrême vétusté. Puis elle fronça les sourcils. Elle n'avait pu saisir cette voiture ! Bien qu'elle n'éprouvât aucune animosité particulière envers cet alcoolique qui ne payait pas ses traites, elle décida d'être plus ferme la fois suivante.

Au lieu de rentrer chez elle, Jane retourna à son bureau. Les couloirs moquettés étaient déserts ; il ne restait plus qu'un seul de ses collègues.

— Bonsoir, Rob. Vous n'avez pas l'air d'apprécier ma nouvelle tenue ?

Son ton était volontairement ironique tandis qu'il parcourait ses vêtements d'un regard désapprobateur.

— Pas vraiment.

— Ne faites pas cette tête-là ! Je reviens de Bradwood, le quartier dur de la ville. Je n'allais tout de même pas me couvrir de bijoux et m'habiller d'une robe de soie pour aller là-bas.

Il haussa les épaules et se pencha sur les papiers qu'il était en train de classer. La lumière fluorescente éclairait le haut dégarni de son crâne.

— Cela vous irait pourtant mieux, reprit-il. Ce n'est pas un travail pour une femme comme vous.

Jane eut un rire forcé.

— Ne dites pas cela. Je manque peut-être un peu de poids, mais je suis tout de même ceinture marron d'aïkido.

Il releva la tête.

— Palmer vous a confié un autre dossier, dit-il.

Puis il se replongea dans son travail, comme pour montrer qu'il ne désirait pas poursuivre la conversation.

Jane rejoignit son bureau de l'autre côté du couloir et s'assit dans son fauteuil tournant. Elle savait que Rob s'inquiétait pour elle. Il n'était pas réellement en colère, mais plutôt contrarié par sa façon d'agir. En s'adossant à son siège, elle prit connaissance du nouveau dossier. Cette fois-ci, il ne s'agissait pas d'une saisie mais d'un dépistage. Elle devait retrouver une Ford marron immatriculée en Californie. Le propriétaire avait cessé de payer son crédit après trois versements. Les termes du contrat indiquaient qu'il avait des contacts dans cette ville.

Jane poussa un soupir. Le dépistage l'avait intéressée au début et elle s'était révélée douée pour ce travail. Mais maintenant, elle se sentait bien plus attirée par les émotions fortes de la véritable saisie. Et voilà qu'elle avait échoué dans sa première mission ! Palmer lui donnerait sûrement une autre chance. Il le devait.

Rapidement, elle composa un numéro qui figurait sur le dossier.

— Bonsoir. Pourriez-vous me passer Bill Bachmann, s'il vous plaît ?

Elle prit un ton dépité quand l'homme au bout du fil lui répondit que celui-ci n'était pas là.

— Quel dommage ! Bill et moi sommes des amis d'enfance. Comme je suis de passage ici, je pensais lui rendre visite.

Elle laissa passer quelques secondes, puis reprit :

— Peut-être pourriez-vous me donner le numéro de téléphone de ses parents ? Je dois l'avoir noté quelque part mais je crains de l'avoir égaré.

Elle jeta rapidement le numéro sur un bloc-notes.

— Non, je ne le perdrai pas. Merci. Au revoir.

Elle raccrocha, tandis que Rob passait sa tête dans l'embrasure de la porte.

— Vous auriez dû faire du théâtre, commenta-t-il ironiquement.

Sans répondre, Jane composa le numéro des parents. Cette fois-ci, elle prit sa voix la plus ingénue.

— Madame Bachmann ? Vous souvenez-vous de moi ? Je suis Mary Johnson, une ancienne camarade d'école de Bill. Je suis en ville en ce moment et je brûle d'envie de le revoir...

Les yeux de Rob s'agrandissaient à mesure qu'elle parlait.

— Il va bientôt rentrer ? Non, non, ne lui dites pas que j'ai appelé ! Je veux lui faire une surprise.

Elle gloussa stupidement comme aurait pu le faire une écolière, puis marqua une hésitation.

— Euh... Pourriez-vous me rappeler votre adresse ?... Merci mille fois. Au revoir.

Après qu'elle eut raccroché, Jane se tourna vers Rob. Son visage, éclairé d'un sourire, se fit plus jeune et plus agréable.

— Samedi, j'irai récupérer cette voiture.

— Encore faut-il que Palmer vous charge de la saisie.

— Il ma confié le dossier, fit-elle remarquer. Et vous savez que c'est une période difficile pour moi. Si je n'arrive pas à me recycler dans les saisies, Palmer a dit qu'il me ferait remplacer. Mais si je m'acquitte de cette mission, même sans qu'il me l'ait demandé, je marquerai un point. Je ne vois pas pourquoi je ne ferais pas moi aussi le travail intéressant.

— J'ai été poursuivi par des chiens, injurié par des femmes, menacé par quantité de gens et vous appelez cela un travail intéressant ?

— Vous êtes un homme. On réagira différemment avec moi.

— Vous vous faites des illusions... Ce n'est pas parce que vous avez des airs de geisha... au contraire.

Jane fit la moue. Elle tenait de sa grand-mère japonaise une finc silhouette orientale et de grands yeux sombres en forme d'amande. Rob se moquait souvent d'elle à ce sujet.

— N'ayez aucune crainte pour moi.

Elle ferma son dossier et le rangea dans un tiroir pour la nuit. Puis elle sortit les clés de sa poche et salua Rob.

A l'approche du crépuscule, le soleil projetait des ombres à travers le parking, et le sommet des arbres, comme celui des immeubles, baignait dans la faible lumière du jour finissant. Au loin, les éternelles montagnes n'étaient plus que de vagues silhouettes qui s'estompaient dans la nuit.

Songeuse, Jane parcourait les rues étroites qui menaient à son quartier. Elle avait toujours vécu à Hattersville et les rues lui étaient aussi familières que son propre appartement.

Elle ne pouvait détacher son esprit de l'échec de l'après-midi. Elle devait absolument convaincre Palmer. Bien qu'il admit ses qualités professionnelles, il n'avait jamais voulu lui donner sa chance sur le terrain. Il prétendait que sa petite taille et son apparence fragile lui donnaient l'air trop vulnérable. Raison de plus pour réussir. Bien sûr, il s'agissait d'abord pour elle de garder son emploi. Mais elle en faisait aussi une question d'amour-propre.

Déterminée, elle s'engagea dans le quartier connu localement sous le nom de Bradwood. Elle laissait derrière elle le centre-ville et les réverbères se firent plus rares à mesure que le nombre de personnes sur les trottoirs allait croissant. Jane verrouilla la porte de sa voiture.

Lorsqu'elle parvint à la petite rue où elle s'était rendue plus tôt, il faisait nuit noire. Plusieurs porches étaient éclairés par des lampes jaune pâle mais la plupart étaient sombres et inquiétants. Jane ralentit et essaya de relever les numéros. C'était la seule façon de différencier toutes ces maisons semblables.

Et soudain, elle sourit. La voiture était là ! Elle était garée contre les portes du garage, comme si elle attendait son retour. Elle ne put distinguer la plaque d'immatriculation mais ses phares éclairèrent une canette de bière qui gisait dans la cour. Il n'y avait aucun doute.

Jane rangea sa voiture dans le coin sombre d'une rue voisine. Ce qu'elle se proposait de faire était terriblement dangereux. Mais elle était déterminée.

Après avoir fermé ses portes, elle s'enfonça dans l'obscurité. Tout près d'elle, un chien aboya. Furtivement, elle se plaqua contre le mur en s'approchant de son but. Dans la maison, il y avait trois hommes. Deux d'entre eux étaient assis, un troisième allait et venait d'un pas nerveux. Jane se glissa avec précaution vers l'arrière de la voiture pour contrôler le numéro d'immatriculation.

Brusquement, la porte d'entrée s'ouvrit et l'un des hommes — celui qui était debout — s'avança sur le seuil. Terrorisée, Jane le regarda allumer une cigarette, puis jeter l'allumette dans la cour. Il plongea son regard dans l'obscurité pendant quelques instants et rejeta en arrière ses cheveux noirs et gras, puis il retourna dans la maison.

Jane regagna une place plus sûre. Inutile maintenant de vérifier la plaque ! C'était bien la voiture qu'elle avait à saisir. Elle appuya sur le bouton de la porte arrière et eut l'agréable surprise de la voir céder sous sa pression. Elle se faufila sur la banquette et referma doucement la portière. Prudemment, elle jeta un œil sur la maison. Les trois hommes étaient toujours en pleine discussion.

Elle se hissa à l'avant du véhicule et se recroquevilla sur le siège, la tête penchée sous le volant. Ses mains tâtonnèrent le long du tableau de bord, puis elle commença à examiner les fils entremêlés.

Au bout de quelques minutes, le moteur se mit

à tousser. Avec un sourire triomphal, Jane se rehaussa sur le siège.

Le bruit alerta les trois hommes et elle les vit se précipiter vers la porte d'entrée. Lorsqu'ils atteignirent le porche, la voiture, dans un crissement de pneus, s'enfilait dans la rue.

En atteignant le carrefour, Jane risqua un œil par-dessus son épaule. Un des hommes avait bondi dans une autre voiture et démarrait derrière elle. Voilà qui n'était pas prévu.

Elle traversa le pont qui séparait Bradwood des beaux quartiers mais elle allait bien trop vite pour pouvoir négocier le tournant qui l'aurait menée vers les lumières du bas de la ville. La route sinueuse grimpait à flanc de montagne et elle espéra un instant que le chauffeur de l'autre voiture supposerait qu'elle avait emprunté le chemin le plus direct.

Mais, bien vite, elle aperçut deux faisceaux lumineux qui trouaient la nuit, à sa poursuite. Elle appuya sur l'accélérateur et sentit que la voiture répondait au quart de tour.

Elle se rendit compte alors qu'elle ne savait où aller. Elle avait d'abord projeté de retourner au bureau mais, à cette heure-ci, Rob serait sûrement parti. Il n'y avait qu'une solution... Elle vira brusquement dans une rue perpendiculaire. Des crissements de pneus lui apprirent que l'homme la suivait toujours. Elle fonça à travers les rues tortueuses et pria pour qu'aucun véhicule ne vienne en sens inverse.

Les lumières de la ville apparurent au loin tandis qu'elle s'approchait d'un autre pont. La voiture était maintenant toute proche. La frayeur décupla ses talents de conductrice.

Elle s'engouffra alors dans un parking et freina

d'un coup sec. La voiture s'arrêta net. Elle s'en extirpa et s'élança vers un bâtiment. Derrière elle, elle entendit un crissement de freins, un cri furieux et le bruit d'une course précipitée.

Jane tira une porte et se rua vers l'officier de police.

— Monsieur, s'écria-t-elle, essoufflée, arrêtez cet homme !

— Arrêtez-la ! cria l'homme en même temps. Elle m'a volé ma voiture.

Le policier promena son regard stupéfait de l'un à l'autre.

— Que se passe-t-il ?

Attirés par le tumulte, d'autres policiers avaient accouru.

— Elle m'a volé ma voiture, répéta l'homme.

Jane lui jeta un regard furieux et se tourna vers l'officier.

— Je m'appelle Jane Vaughn, de la Société de crédit Palmer, et j'ai saisi sa voiture parce qu'il n'a pas payé ses traites depuis six mois.

— C'est stupide, s'écria l'homme. Ma voiture est en règle. Je l'ai payée comptant et je ne dois pas un sou.

— J'ai saisi sa voiture, reprit Jane, et il m'a poursuivie à travers toute la ville. Il a même failli m'envoyer dans le fossé.

— Je l'aurais fait si je l'avais pu.

— Vous voyez ? Il le reconnaît lui-même. Cet homme est dangereux. Vous devriez l'arrêter.

— Vous ne croyiez tout de même pas que j'allais vous laisser partir ainsi.

Il lui rendit son regard furieux. Ses yeux verts étaient durs comme des émeraudes et, malgré son teint hâlé, il était rouge de colère. Son corps robuste tremblait de rage contenue.

Jane sortit de sa poche son ordre de saisie. L'officier l'examina rapidement.

— Il est en règle, mais n'est-ce pas un peu tard pour travailler ?

— J'ai essayé plus tôt, mais son frère s'est enfui avec l'auto.

— Mon frère ? Quel frère ? demanda l'homme.

— Quand je suis repassée par là, la voiture était de retour, et j'ai pu m'acquitter de la saisie.

— Vous vous trompez, ce n'est pas la bonne voiture !

L'homme s'avança vers elle d'un pas menaçant.

Le policier le fixa attentivement.

— Avez-vous vos papiers ? Cette voiture appartient à...

Il jeta un œil sur le document que lui avait tendu Jane.

— ... Horace Pool. Pouvez-vous prouver votre identité ?

L'homme plongea machinalement sa main dans sa poche intérieure, puis s'arrêta net.

— Non, je n'ai pas eu le temps de prendre mon portefeuille.

— Conduite sans permis, fit remarquer Jane, et excès de vitesse.

L'officier s'approcha de lui.

— Vous avez bu.

— J'ai renversé de la bière sur moi en courant après la voiture.

— Et conduite en état d'ivresse, renchérit Jane.

— Je ne suis pas ivre. Je venais juste d'ouvrir une canette.

Il désigna les auréoles sur sa chemise et son

jean, puis fit un nouveau pas vers Jane qui recula d'instinct.

— C'est bon, arrêtez-le! dit l'officier à un autre policier. Même s'il n'y a rien d'autre, il trouble l'ordre public.

Tandis qu'on l'emmenait, l'homme brandit son poing à l'intention de Jane.

— Je m'en souviendrai, gronda-t-il.

Jane affronta son regard mais son cœur battait la chamade. Lorsqu'il fut parti, elle demanda au policier :

— Que voulait-il dire ?

— A votre place, je ne m'en inquiéterais pas. Beaucoup de gens font des menaces. Mais, demain, quand il sera à jeun, il ne s'en souviendra même plus.

Jane acquiesça lentement. Elle n'avait jamais vu quelqu'un dans une telle colère.

— J'espère que vous avez raison.

Tandis qu'elle remettait l'ordre de saisie dans sa poche, elle pensa que cet homme, contrairement à son frère, était très séduisant. Ils n'avaient en commun que l'odeur de la bière. A vrai dire, Horace Pool n'était pas du tout comme elle l'avait imaginé. Cette pensée l'effraya.

— Bonsoir, dit-elle au policier. Et merci pour votre aide.

Elle rentra chez elle et gara la voiture saisie dans sa place de parking. Le lendemain, elle retournerait chercher sa propre automobile. Elle espérait la retrouver en bon état malgré l'endroit où elle l'avait laissée. C'était son seul moyen de locomotion.

Elle débrancha les fils entremêlés sous le tableau de bord et le moteur s'arrêta. Avant de sortir, elle jeta un œil à l'intérieur de la voiture.

Elle était bien tenue. Pas de fente sur les sièges, pas même la moindre poussière sur le tableau de bord. Comment un homme pouvait-il s'occuper avec tant de soin de sa voiture et négliger d'en payer les traites ? Les gens étaient décidément bien difficiles à comprendre.

Chapitre 2

Tandis qu'elle se douchait, Jane pensa à l'homme qu'elle avait fait arrêter. En d'autres circonstances, elle l'aurait trouvé séduisant. Comme il est étrange, pensa-t-elle, qu'il se soit entêté à clamer son innocence au poste de police. Sans doute était-il ivre au-delà de toute raison.

Elle s'essuya et détacha le ruban qui maintenait ses cheveux. Ils retombèrent sur son dos comme un écran de soie noire. Lentement, elle les brossa pour les lustrer.

Même en colère l'homme n'avait pas perdu de son charme. Malgré son jean défraîchi et sa chemise usagée, il ne semblait pas à sa place dans le quartier de Bradwood. Inconsciemment elle pensait qu'il valait mieux que son apparence.

Elle revêtit son peignoir de bain et pénétra dans la cuisine. Après toutes ces émotions, elle se sentait une faim de loup. Elle se fit un sandwich et prit une boisson froide dans le réfrigérateur.

Entre deux bouchées, elle appela son patron.

— Monsieur Palmer ? C'est Jane Vaughn. Excusez-moi de vous déranger si tard, mais je voulais vous dire que j'ai réussi dans ma mission. Je vous ramènerai demain la voiture de Pool... Non, non, aucun problème.

Elle ne voulait pas que Palmer pense qu'elle

avait rencontré plus de difficultés que n'en aurait eu Rob. D'un air satisfait, elle raccrocha.

Frank Malone s'assit sur le lit inconfortable et jeta un regard furieux sur les barreaux de sa cellule. Il avait rarement été dans une telle colère. Certes, il avait appris à se contrôler. Dans son travail, c'était indispensable. Mais il lui était difficile de réprimer sa fureur à l'idée que c'était une femme qui l'avait mené là.

Pourtant, tout avait bien commencé. Trask lui avait même donné le nom de son contact en Virginie, jusqu'à Moe qui lui avait accordé sa confiance. Mais Moe était lunatique. Il pouvait rompre du jour au lendemain. Que se passerait-il alors ?

En cet instant, Frank avait cependant d'autres soucis. Son arrestation ne lui posait pas de problème en soi. Un coup de téléphone au quartier général des services secrets et on le libérerait avec des excuses. Seulement voilà ! Il ne serait plus un inconnu dans cette ville. Et Trask était prudent, très prudent. Son arrestation pouvait le rendre dangereux à ses yeux.

Il se leva en jurant et arpenta sa cellule de long en large. Cette femme avait peut-être ruiné des mois de plans soigneusement établis. Comment retourner la situation ?

Elle avait parlé de quelqu'un pour le compte de qui elle travaillait. Il se remémora la scène qui avait eu lieu une heure auparavant. Palmer ! Il s'appelait Palmer ; maintenant il se souvenait et elle, c'était... c'était Jane Vaughn. Quand elle ramènerait la voiture à sa compagnie, le malentendu serait réglé, mais que se passerait-il si on venait à la fouiller ?

Un micro hypersensible était posé sur la portière avant, du côté du passager, et un dispositif radio dissimulé sous le tapis du coffre. S'ils étaient découverts, cela ferait jaser. Or il ne pouvait prendre aucun risque. Mlle Vaughn ne découvrirait certainement pas les appareils mais la voiture devrait être récupérée avant qu'elle ne parvienne à un mécanicien.

Frank soupira et se dirigea vers la porte. De là, il ne pouvait voir qu'un long couloir gris faiblement éclairé avec, de part et d'autre, des cellules comme la sienne. Au bout de ce couloir, une porte métallique, armée d'un judas. Révélerait-il son identité à l'officier de service ? Il serait relâché et pourrait retourner chez Trask, moins d'une heure après l'avoir quitté. Celui-ci pourrait croire que la recherche de sa voiture avait été plus longue que prévue. Mais rien n'était moins sûr. Et si son mensonge était découvert, Frank pourrait se retrouver en danger.

Il plongea nerveusement les mains dans ses poches pour réprimer la colère qui l'envahissait à nouveau. Plus tard, il pourrait la laisser éclater. Mais pour l'instant, il avait besoin de garder la tête froide pour prendre des décisions rapides.

S'il déclinait aux policiers sa véritable identité, sauraient-ils rester discrets ? Bien des projets avaient échoué parce que trop de gens étaient dans le secret. Et les polices locales prenaient souvent ombrage des détectives chargés d'une mission par l'Etat. Parfois aussi, elles manifestaient trop de zèle et c'était tout aussi mauvais. Frank connaissait bien son métier et il avait à le faire seul.

Un gang de voleurs de voitures sévissait depuis des mois dans la région d'Hattersville. On supposait qu'il n'était qu'une partie d'un vaste réseau. Arrêter les malfaiteurs locaux serait cependant un pas de fait dans le démantèlement de l'organisation. Si cette femme était arrivée, ne serait-ce qu'une demi-heure plus tard, Frank aurait pu obtenir des informations importantes de la part de Trask.

Il se rassit sur son lit. Un bruit métallique lui fit relever brusquement la tête.

L'officier ouvrit la porte.

— Venez, Pool, lui dit-il, on va vous faire souffler dans le ballon.

Frank fronça les sourcils.

— C'est ce que vous auriez dû faire avant de m'enfermer, s'indigna-t-il. Je connais mes droits. Et je ne m'appelle pas Pool. Mon nom est Jay Malcolm.

— D'accord, d'accord, répondit l'officier d'un air peu convaincu. Vous avez été arrêté pour trouble de l'ordre public. Maintenant, nous allons vérifier votre taux d'alcoolémie.

Frank suivit le policier et se retrouva bientôt dans une pièce remplie d'ordinateurs et d'appareils de tests.

— Asseyez-vous ici, dit l'officier.

Désinvolte, il lui désigna une chaise.

— Et maintenant, soufflez.

— J'aimerais donner un coup de téléphone, dit Frank, impatient.

— Vous le donnerez après. D'abord le test.

Il s'exécuta à contrecœur. Un autre officier analysa le résultat et annonça bientôt :

— Négatif. Il doit avoir bu une bière tout au plus.

— Vous voyez, s'insurgea Frank en se tournant vers le premier officier. Je vous l'avais dit

22

que je n'étais pas ivre. Et je ne suis pas non plus Horace Pool. Je m'appelle Jay Malcolm et j'habite 442 Wilcrest Street, appartement 212. Vérifiez si vous voulez...

— Pourquoi n'avez-vous pas vos papiers? demanda l'homme. Pas même votre permis de conduire?

Le visage de Frank se durcit. Il avait fait preuve de légèreté en oubliant de prendre ses faux papiers lorsqu'il avait changé de vêtements.

— J'ai laissé mon portefeuille dans mon appartement. Je ne pensais pas en avoir besoin pour aller boire une bière chez des amis. Ils savent qui je suis... Je peux donner mon coup de téléphone?

L'officier poussa un soupir et le mena dans une pièce voisine.

De mémoire, Frank composa le numéro de Trask. En jetant un œil par-dessus son épaule, il constata qu'on l'observait toujours.

— Allô, c'est Jay à l'appareil. Oui, je l'ai rattrapée. Elle devait saisir une voiture et elle a cru que c'était la mienne... Oui, je sais qu'elle s'est trompée. Elle est allée au poste de police. J'ai eu beau protester, c'est moi qu'on a enfermé. Il paraît que je trouble l'ordre public, dit-il avec un sourire forcé. Enfin, bref! je ne veux pas passer la nuit ici. Ne pourriez-vous pas payer ma caution? J'ai à peine un dollar en poche... Oui, bien sûr, je vous rembourserai.

Il raccrocha et fut reconduit dans sa cellule en attendant la venue de Trask. Un sourire se dessina sur ses lèvres. Après tout, cette arrestation pourrait bien le servir. Même s'il n'avait commis qu'un délit mineur, Trask serait sûrement convaincu après cela qu'il était bien de leur côté.

Il s'assit sur le lit. Le matelas grinça sous son poids. Ses pensées, soudain, le ramenèrent à la femme qui l'avait conduit là. Elle était vraiment belle. Son visage avait un charme exotique et ses vêtements, quoique modestes, révélaient un corps bien proportionné. C'était son genre de femme. En d'autres circonstances, il aurait aimé faire sa connaissance.

Il s'allongea sur une couverture inconfortable. Etait-elle mariée ? Probablement, à en juger par son physique. Elle était trop belle pour être encore célibataire.

Toutefois, il ne devait pas se laisser détourner de son but. Il avait d'abord à démanteler le gang des voleurs de voitures. Il ferma les yeux et concentra son esprit sur les affaires professionnelles de Jay Malcolm.

Un peu plus tard, il fut réveillé par le son d'une clé. Aussitôt, il recouvra ses sens.

— Votre ami est venu payer votre caution. Vous pouvez sortir. Mais ne quittez pas la ville. On vous informe par courrier de votre date de convocation au tribunal.

Frank se redressa sur le lit ; après avoir jeté un regard furieux à l'officier, il s'engagea dans le couloir. Trask l'attendait à la réception.

Frank le salua et signa un papier selon lequel il s'engageait à ne pas quitter la ville avant son audition.

— C'est incroyable, dit-il à Trask en sortant du commissariat. Cette femme a volé ma voiture et c'est moi qui me suis fait arrêter.

— Votre Chevrolet était en règle, n'est-ce pas ? demanda Trask.

24

— Bien sûr.

En arrivant à la voiture de son compagnon, Frank jeta un œil sur la banquette arrière. Elle était vide.

— Où est Moe ?

— Il est rentré chez lui. Nous reprendrons les tractations une autre fois.

— D'accord, dit Frank d'un air conciliant.

Trask le déposa à son appartement, juste après le pont qui délimitait le quartier de Bradwood. Frank ouvrit la portière et sortit.

— Merci. Je suis désolé pour la caution, mais je ne pouvais pas rester en prison. De toute façon, je vous rembourserai.

— Ne vous inquiétez pas. Ce sont des choses qui arrivent.

Trask jeta sa cigarette par la fenêtre et ajouta :

— Mais tenez-vous tranquille jusqu'à votre audition. Nous ne voulons plus aucun problème.

— D'accord, dit Frank.

Sa voix était grave, il était pressé d'en finir avec cette mission.

Après avoir claqué la portière, il traversa le parking de l'immeuble où il avait pris un appartement en location deux mois auparavant. Dans les étages, les pleurs d'un enfant se mêlaient aux aboiements d'un chien, une radio braillait du hard rock. Frank traversa une petite cour puis gravit les marches de métal noir qui menaient à sa porte.

Une femme, vêtue d'une sinistre blouse d'intérieur, le regardait d'un air méfiant. Sans y prêter attention, il sortit la clé de sa poche et ouvrit la porte de son appartement.

L'intérieur était d'une propreté parfaite qui contrastait avec la saleté du dehors. Mission ou pas, il refusait de vivre dans un décor triste. Il traversa la petite salle de séjour et pénétra dans la chambre, encore plus exiguë. Sur le buffet, il vit son faux permis, il secoua la tête en signe de désapprobation et se promit de ne plus jamais refaire pareille erreur. Cela pourrait lui coûter la vie.

Un peu las, il s'allongea sur le matelas et planta son regard sur le plafond couvert de cloques. En cet instant, il aurait bien donné un mois de salaire pour se retrouver chez lui, dans un bain chaud. Avec un soupir, il se résigna à rejeter cette pensée.

Et aussitôt la femme réapparut, avec son teint cuivré et ses cheveux d'ébène. Quand cette mission serait terminée, il reviendrait à Hattersville pour lui rendre visite. Ainsi, il pourrait tout lui expliquer et la ramener à de meilleurs sentiments. Mais dans un premier temps, il devrait la revoir pour récupérer sa voiture.

Frank se laissa glisser sur le côté et sortit un bottin téléphonique du tiroir de sa table de nuit. Il l'ouvrit à la lettre V et promena son doigt sur la liste des noms. Quand il parvint à J. Vaughn, il s'arrêta et sourit. A côté du numéro de téléphone, il y avait l'adresse. Il l'enregistra dans sa mémoire et referma le bottin. Le lendemain, à l'aube, il rendrait visite à la pétulante Mlle Vaughn.

Jane lavait la vaisselle en fredonnant un air populaire. Elle était en train de prouver à Rob et à Palmer qu'elle était capable d'assumer ce travail. D'un pas léger, elle retourna dans sa chambre.

Elle ôta son peignoir de bain et l'accrocha

26

dans son armoire avec des gestes précis. Elle aimait bien que tout soit à sa place. Cela avait été parmi beaucoup d'autres un sujet de discorde entre Doug et elle. En cet instant, elle sentit la souffrance monter en elle et, aussitôt, elle chassa Doug de son esprit. De toute façon, il était marié maintenant. Alors à quoi bon penser à lui ?

Elle décrocha une robe de laine brune de son armoire. C'était l'une de ses préférées. En l'enfilant, elle constata une nouvelle fois qu'elle lui allait parfaitement.

Puis elle se dirigea vers sa coiffeuse et se mit du mascara et du rouge à lèvres. Après avoir contrôlé l'heure, elle se brossa les cheveux, les enroula en chignon et attrapa son sac. Pour une fois, elle n'était pas en retard.

Comme elle franchissait allègrement la porte d'entrée, elle s'arrêta brusquement. L'homme qu'elle connaissait sous le nom d'Horace Pool était assis sur le capot de la voiture saisie.

— Que faites-vous là ? lui demanda-t-elle.

— Bonjour, dit-il d'un ton jovial. Je viens récupérer ma voiture.

— Il n'en est pas question. Descendez de ce capot !

Il la regarda avec amusement.

— Vous êtes encore plus belle dans cette robe que vous ne l'étiez hier soir.

Le compliment la décontenança et elle se laissa aller à contempler ses yeux. Ils étaient vert émeraude avec un cercle sombre. Ils avaient un pouvoir presque fascinant. A la lumière du soleil, ses cheveux roux se coloraient, par endroits, de nuances argentées. Elle se ressaisit et dit fermement :

— Je vous ai dit de descendre de ce capot, monsieur Pool !

— D'abord, je ne suis pas Horace Pool. Mon nom est Frank Malone. Ensuite, je vous répète que vous vous êtes trompée de voiture.

Elle fronça les sourcils.

— J'ai les papiers dans mon sac. Je peux vous prouver que je ne me suis pas trompée.

Il la défia.

— Allez-y ! Prouvez-le.

Elle empoigna son sac et fouilla nerveusement à l'intérieur. Triomphante, elle brandit le document de saisie.

— Lisez ! dit-elle. Lisez là.

Il se rapprocha et fit ce qu'elle lui demandait.

— Maintenant, proposa-t-il, jetez un œil sur ma plaque d'immatriculation.

Elle le suivit jusqu'à l'arrière de la voiture. Après avoir comparé les numéros, elle resta bouche bée.

— C'est une mauvaise plaisanterie, s'écria-t-elle. Vous avez changé la plaque.

— Vous êtes difficile à convaincre, n'est-ce pas ? Venez avec moi.

Il la mena à l'avant de l'auto et passa son bras à travers la fenêtre ouverte. Il tira d'un boîtier les papiers d'immatriculation du véhicule.

— Regardez vous-même.

En l'écartant, Jane mit le document et l'ordre de saisie côte à côte.

— Comment est-ce possible ! s'exclama-t-elle.

Frank se résolut à sourire et lui tendit son permis de conduire.

— Frank Malone, madame, à votre service.

Elle promena son regard de la carte vers Frank.

— Vraiment, vous n'êtes pas Horace Pool ?
— Eh non !
— Et c'est votre voiture ?
— Comme vous le voyez.

Il croisa ses bras sur sa poitrine et s'appuya contre le pare-chocs.

— Mon Dieu !

Elle laissa tomber ses mains sur le capot, en froissant le papier entre ses doigts. Inconsciemment, elle porta un regard accusateur à la voiture rouge qui brillait devant elle.

— Je suis désolé d'avoir gâché votre journée, dit Frank.

Avec un sourire lumineux, il rangea le permis de conduire dans son portefeuille. Il savait qu'il aurait dû montrer le faux, celui qui indiquait pour nom : Jay Malcolm. Mais de toute façon, un jour ou l'autre, il aurait bien fallu qu'elle apprenne son vrai nom. Il avait la ferme intention de la revoir dès que sa mission serait terminée.

— Vous ne pensez pas si bien dire, avoua-t-elle.

Lorsque Palmer découvrirait que non seulement elle n'avait pas saisi la voiture mais qu'en plus elle en avait pris une autre, elle serait aussitôt congédiée.

— Chacun son tour, répondit-il.

Une pensée se glissa soudain dans l'esprit de Jane et, péniblement, elle leva les yeux vers lui.

— Avez-vous l'intention de porter plainte ?
— Porter plainte ?
— Je comprends, s'exclama-t-elle, vous voulez porter plainte. C'est pourquoi vous êtes tout à coup si aimable. J'aurais dû m'en douter. Mais je vous le dis, monsieur Malone, vous perdez votre

temps, la Société Palmer ne se laissera pas faire. On ne vous versera pas un sou, vous entendez, pas un sou !

Tandis qu'elle gesticulait, ses yeux jetaient des éclairs.

A la regarder, Frank ne pouvait s'empêcher d'éprouver une certaine fascination. La voix de Jane se perdit et, aussitôt, une nouvelle pensée la traversa.

— Et moi aussi, n'est-ce pas ? Moi aussi, vous voulez me poursuivre. C'est tout de même incroyable ! Après tout, je ne fais que mon travail... mal, cette fois-ci, j'en conviens, mais vous croyez que c'est facile de récupérer les voitures des gens ? J'ai déjà eu beaucoup de difficultés pour être promue employée de saisie ! Voilà que mes efforts n'ont servi à rien. Mais ce sont des choses que vous ne pouvez comprendre, monsieur Malone...

— Frank, dit-il en l'interrompant.

— Pardon ?

Le ton calme de sa voix l'avait surprise. Elle le fixa délibérément.

— Appelez-moi Frank, et sachez que je n'ai pas l'intention de porter plainte.

— Vraiment ?

Jane le regarda avec stupeur.

— Je veux juste reprendre ma voiture, ajouta-t-il. Peut-être puis-je vous déposer quelque part ?

Elle se détendit un peu et promena son regard à travers le parking.

— Comment avez-vous fait pour venir jusqu'ici ?

— J'ai pris un taxi.

Devant son regard interrogateur, il expliqua :

— Votre adresse est dans le bottin.

— Comment saviez-vous mon nom ?

— Vous l'aviez dit au commissariat.

— Eh bien, oubliez-le. Je prendrai un taxi à mon tour pour aller rechercher mon auto. Disons qu'il ne s'est rien passé.

Frank l'observa attentivement.

— Mais je ne veux pas vous oublier. J'ai bien l'intention de vous revoir.

Elle resta muette quelques instants et le dévisagea avec stupéfaction. Il eut alors le sentiment d'en avoir trop dit.

— Me revoir ? Je vous ai pris votre voiture, je vous ai fait mettre en prison et vous voulez me revoir ?

— Pourquoi pas ?

Résolu à venir à bout de sa mission dans les jours qui suivaient, Frank pensa qu'il pouvait, d'ores et déjà, lui fixer un rendez-vous.

— Pourrions-nous dîner ensemble dans une dizaine de jours ?

— Une dizaine de jours ? Vous vous y prenez longtemps à l'avance. Non. Je ne suis pas censée prendre des rendez-vous avec les personnes que je rencontre lorsque je travaille.

— Ce que vous dites aurait un sens si j'étais Horace Pool.

Il la narguait des yeux.

— Que pensez-vous de... samedi prochain ?

Jane se détourna. Il était charmant et sa proposition la tentait.

— Cela ne vous dérangerait pas de me conduire à ma voiture ? Je l'ai garée près de votre maison.

— Mais certainement ! Ce n'est pas ma maison, c'est celle d'un ami. J'habite à Brandenburg. Et pour samedi, alors ?

Frank savait qu'il aurait mieux valu attendre mais il ne pouvait s'y résoudre. De plus, il savait que s'il avait l'occasion de la voir, il se sentirait motivé pour terminer son travail le plus rapidement possible.

Elle lui jeta un coup d'œil. Il attendait sa réponse sans le moindre signe d'impatience.

— Vous êtes seul dans la vie ?

— Oui.

Il y eut un silence.

— Et vous-même ?

— Moi aussi.

Elle le regarda à nouveau. Ce rendez-vous la tentait terriblement.

— Et pourquoi pas ce soir ?

— Que dites-vous ?

— Nous pourrions sortir ensemble ce soir. A moins, bien sûr, que vous n'ayez un autre rendez-vous. Auquel cas...

— J'aurais pu en effet avoir certains engagements, mais il se trouve que je suis libre. Simplement, il est possible que j'aie à travailler.

— Ah oui, fit-elle étonnée.

— Je suis chauffeur de poids lourds, expliqua-t-il.

C'est ce qu'indiquaient les papiers de Jay Malcolm. S'il devait commencer à la voir, autant coller le plus possible au personnage qu'il devait jouer. Il aurait tout le temps de lui expliquer plus tard.

— De toute façon, il faudra bien que vous mangiez, n'est-ce pas ? Brandenburg n'est pas très loin. Je pourrais aller vous chercher là-bas. Je vous attendrai à la sortie de votre travail. C'est le moins que je puisse faire après les désagréments que je vous ai causés.

— Non. Je préfère samedi prochain.

— A prendre ou à laisser, c'est cela ? Vous êtes vraiment bizarre.

Frank poussa un soupir.

— Si vous voulez que je vous dépose, montez.

Il contourna la voiture et lui ouvrit la porte.

Jane le regarda un court instant, puis elle se glissa à l'intérieur. Il refit le tour et se mit au volant. Elle avait la gorge sèche. Il introduisit la clé de contact et le moteur se mit en marche.

— Evidemment, c'est plus facile avec la clé, fit remarquer Jane.

Elle avait un sourire désarmant.

— Je suis étonnée que vous ne soyez pas parti dès que vous avez trouvé votre voiture dans ce parking. Vous auriez pu le faire, vous savez ?

— J'y ai pensé.

— C'est de ma faute si vous avez été en prison. Vous ne semblez même pas m'en vouloir.

— Maintenant que vous le dites, je dois vous avouer que j'étais furieux contre vous la nuit dernière.

Frank allongea son bras jusqu'à la manette de son siège. Tandis qu'il le reculait un peu, il pensa qu'il était stupide de sa part de se montrer en ce moment avec une femme. Quand la voiture démarra, il lui jeta un coup d'œil. Non seulement elle était belle, mais en plus elle avait du charme, ce qui ne gâtait rien.

Jane regardait devant elle. Elle se maudissait intérieurement. Elle était bien trop souvent incapable d'exprimer ses pensées. Cet homme devait être en train de regretter de l'avoir invitée. Elle risqua un coup d'œil dans sa direction. Il était très beau. Sa chemise cintrée seyait à son corps mince et mettait en valeur ses larges épaules ainsi que sa taille fine. Depuis que Doug l'avait quittée, elle n'avait jamais rencontré un homme qui fût capable de la séduire... En tout cas pas jusqu'à maintenant.

— Monsieur Malone... Frank, commença-t-elle en se demandant si elle trouverait les mots pour continuer. Je... je suis désolée d'être si maladroite. C'est un de mes défauts. Je n'ai jamais eu beaucoup de patience et je n'ai jamais été douée pour me plier aux conventions sociales. Si votre invitation tient toujours pour samedi prochain, rappelez-moi dans la semaine.

Frank appuya son coude à la fenêtre de la voiture et réfléchit longuement avant de prendre la parole.

— Ecoutez, si vous le voulez, sortons ensemble ce soir ?

Elle resta un instant silencieuse, puis finit par accepter.

— Entendu... mais appelez-moi Jane.

Il lui sourit.

— Je viendrai vous prendre à huit heures, dit-il.

Ravie, elle descendit de la voiture et lui fit un signe de la main.

Chapitre 3

Songeuse, Jane regardait Frank s'éloigner. Cet homme la fascinait. Il aurait pu s'emporter contre elle ou la poursuivre en justice. Beaucoup de gens se seraient sentis humiliés d'être ainsi jetés en prison, alors même qu'ils étaient innocents. Frank, lui, semblait avoir oublié l'incident. Tant d'attentions la stupéfiaient. Elle aurait même trouvé sa conduite absurde si cela n'avait pas été flatteur pour elle. Cependant Jane ne voulait pas accorder trop d'importance à ce rendez-vous. Une fois qu'elle aurait passé quelque temps avec lui, elle ne le trouverait probablement pas plus extraordinaire qu'un autre. Son expérience avec Doug Renshaw lui avait appris à ne pas être trop confiante.

Elle ouvrit la porte de sa voiture après avoir constaté que celle-ci n'avait pas été endommagée pendant la nuit. Tandis qu'elle se dirigeait vers le quartier des affaires, elle lutta pour oublier Frank Malone et réfléchir à ce qu'elle pourrait dire à Palmer. En arrivant à son bureau, elle était parvenue à se convaincre qu'elle n'avait fait qu'une petite erreur sans conséquence. Mais Palmer, lui, ne l'entendit pas de la même façon.

— Vous vous êtes trompée de voiture ? hurla-t-il.

Il leva les bras au ciel.

— Ne me dites pas que vous avez fait cela ?

— Si.

Elle était déterminée à garder son sang-froid malgré la fureur de son patron.

— Il n'entamera pas de poursuites, il me l'a promis.

— Une promesse ? répéta Palmer. Rien qu'une promesse ?

Jane n'avait jamais remarqué auparavant que Palmer ne s'exprimait que par des phrases interrogatives lorsqu'il était furieux. Une veine battait fortement le long de sa tempe. D'une voix apaisante, elle lui dit :

— Quand je l'ai fait arrêter, j'étais convaincue d'avoir raison.

— Arrêter ? Vous l'avez envoyé en prison ?

Il avait cessé de hurler pour chuchoter, et c'était tout aussi inquiétant.

— Et vous dites qu'il ne portera pas plainte ?

Jane le regarda avec anxiété.

— Je vous en prie, ne vous mettez pas dans cet état. Tout va bien. Cette voiture a été rendue à son propriétaire et j'irai récupérer l'autre cet après-midi.

— Il n'en est pas question ! J'ai fait une grossière erreur en vous envoyant sur le terrain. Je sais maintenant que vous êtes incapable de faire ce travail. Sortez de ce bureau !

Dans la foulée, il hurla.

— Hancock ! Venez ici !

— Vous m'ôtez le dossier ? s'exclama Jane. Ce n'est pas juste. Rob n'a pas toujours réussi du premier coup.

— Hancock n'a jamais volé une voiture, ni fait arrêter son propriétaire. Et ne vous plaignez pas.

Vous avez encore de la chance de ne pas être renvoyée.

Elle leva le menton avec fierté.

— Monsieur Palmer, vous devriez me donner une autre chance.

— Non ! Sortez d'ici ou je vous mets à la porte !

Jane jeta un regard furieux à son patron et tourna les talons. Dans le couloir, elle rencontra Rob qui se précipitait vers le bureau de M. Palmer. Il lui adressa un regard d'excuse qu'elle feignit d'ignorer.

Elle prit son sac et quitta l'immeuble. Palmer n'avait pas le droit de la traiter ainsi et elle n'avait pas l'intention de se laisser faire. Elle se mit au volant de son auto et prit la direction de Bradwood. Elle s'arrêta devant la maison où elle avait vu la Chevrolet rouge d'Horace Pool la première fois.

En passant, elle avait aperçu le capot rouge et des bribes de conversation lui étaient parvenues. Elle claqua sa portière, pénétra dans la cour boueuse et se dirigea directement vers l'homme qui était debout devant une poubelle ouverte. Sèchement, elle demanda :

— Etes-vous Horace Pool ?

— Oui. A qui...

— C'est la dame dont je t'ai parlé, dit son frère en l'interrompant.

— Vous, silence ! s'écria Jane.

Puis elle se tourna vers Horace.

— Dépêchez-vous de me donner les clés.

Le ton de sa voix était menaçant. Mais elle soutint son regard.

Horace Pool était si surpris qu'il sortit un trousseau de clés de sa poche et le lui tendit sans même chercher à discuter. Jane prit celle dont elle avait besoin et la détacha du trousseau. Puis sèchement, elle lui rendit les autres.

Elle se dirigea vers la Chevrolet et l'ouvrit d'un coup sec. Alors, seulement, elle se retourna vers les deux hommes abasourdis et leur dit :

— J'ai garé ma voiture devant, mais n'y touchez pas. Cela pourrait vous coûter cher.

Puis elle démarra en trombe. Elle fit le trajet du retour sans décolérer. Elle était apte à faire ce travail et elle l'avait prouvé.

Lorsqu'elle pénétra dans le bâtiment, Rob leva la tête des papiers qu'il rangeait.

— Jane ! Où étiez-vous ? Nous pensions que vous nous aviez quittés.

Sans répondre, elle brandit les clés et continua son chemin. Elle entra chez son patron sans frapper et jeta les clés devant lui.

— La voiture de Pool est dans le parking.

Elle attendit qu'il l'interrogeât mais, comme il se contentait de la regarder fixement, elle fit volte-face et retourna à son bureau.

C'est à ce moment seulement qu'elle commença à trembler. Elle posa les coudes sur sa table de travail et enfouit son visage dans ses mains.

Un coup sur la porte lui fit redresser la tête. C'était Rob.

— Ça va ?

— Je ne sais pas... Suis-je renvoyée ?

— Non.

— Quel soulagement ! Pourriez-vous me ramener à ma voiture ?

— Bien sûr. Laissez-moi une minute, le temps que je finisse mon travail.

Jane s'adossa à sa chaise et croisa les doigts.

Cela avait été vraiment facile. Si elle n'avait pas été si en colère, elle aurait été ravie. Il y avait un certain plaisir à s'acquitter de ce genre de travail. Sans compter l'augmentation de salaire qui allait suivre.

Au moment où Rob réapparut à la porte, Jane avait retrouvé tout son aplomb.

Jane s'habilla avec soin pour le rendez-vous. Ne sachant pas où ils iraient, elle s'était demandé ce qu'elle pourrait porter. Finalement, elle avait choisi une robe de soie bleue avec des manches amples. C'était le genre de robe qui allait n'importe où. Elle s'était chaussée de sandales à lanières et avait mis de fines boucles d'oreilles. Puis elle avait passé une longue chaîne en or autour de son cou.

Elle se regarda dans la glace avec un œil critique. N'était-elle pas trop habillée ? Elle avait vu Frank vêtu d'un jean défraîchi et ses amis habitaient à Bradwood. Peut-être n'avaient-ils pas la même conception d'une sortie en ville ? Hésitante, elle jeta un œil dans sa penderie. Avait-elle le temps de se changer ? Trop tard. La sonnette de la porte d'entrée retentissait déjà.

Elle se précipitait pour ouvrir quand elle se ressaisit. Il ne fallait pas qu'il sache qu'elle avait couru. Elle donna à son visage une apparence de calme mais, lorsqu'elle vit Frank, elle resta bouche bée.

Il portait une veste de cuir blanc, d'allure sportive, et un pantalon de velours brun. Sa chemise était couleur crème et sa cravate rayée, jaune et brun, avec des nuances vertes. On l'imaginait plus à son aise ainsi vêtu qu'en chauffeur de camions.

— Bonsoir, dit-elle. Entrez.

Frank sourit et franchit le seuil. Elle était encore plus belle que les deux premières fois.

— Vous êtes splendide, dit-il doucement. Ces couleurs vous vont à ravir.

— Merci.

Ils se regardèrent, indécis. Le moment sembla durer une éternité.

Finalement Frank reporta son attention vers la pièce où il venait d'entrer. Elle était décorée avec goût. Des glaces en verre fumé rouges, jaunes et vertes tenaient lieu de tapisserie. Sur une étagère en chrome brillant, des coquillages étaient disposés ainsi qu'un cheval de bois sculpté et quelques objets de cristal lourd. Frank s'approcha pour regarder une étoile de cristal qui captait la lumière et projetait sur le mur les couleurs de l'arc-en-ciel.

— C'est magnifique !

— C'est un symbole, dit-elle, en le rejoignant. L'arc-en-ciel me rappelle que je ne serai jamais vaincue et l'étoile est mon but.

Elle rit.

— Cela doit vous paraître stupide.

— Pas du tout. Tout le monde voit cette signification dans les étoiles.

Il toucha un escargot de cristal.

— Et que vous inspire ce bibelot ?

Elle sourit.

— Que j'ai tout mon temps pour atteindre mon but. Ce n'est peut-être qu'un escargot, mais il se déplace en allant toujours droit devant lui.

Frank la regarda.

— J'ai le sentiment que vous échouez rarement dans ce que vous entreprenez.

— C'est vrai, répondit-elle.

Pendant un moment, il la fixa avec une expression qu'elle ne put interpréter.

— Etes-vous prête ? demanda-t-il enfin.

— Oui. J'ai juste à prendre une écharpe.

Elle choisit un léger châle de laine. Frank le lui prit des mains et le disposa autour de ses épaules. Ses doigts l'effleurèrent légèrement et Jane ressentit un émoi profond, comme s'il l'avait caressée. Ses yeux affolés rencontrèrent les siens et se perdirent dans leur profondeur verte. Son trouble était tel que, pour un peu, elle se serait laissée aller à l'embrasser. Heureusement elle se reprit à temps et ouvrit la porte d'entrée. Son cœur battait la chamade, son visage était coloré d'une légère rougeur. Doug ne lui avait jamais procuré de telles sensations...

Frank semblant deviner ses pensées, elle n'eut qu'une hâte : sortir.

— Où est votre voiture ? demanda-t-elle tandis qu'elle cherchait des yeux la Chevrolet rouge.

— Ici. J'en ai pris une autre ce soir.

Il la conduisit jusqu'à une Mercedes bleu nuit. Comme elle s'étonnait, il lui expliqua :

— Les routiers gagnent beaucoup d'argent, ce qui me permet d'avoir un certain train de vie.

— Evidemment, répondit-elle, songeuse.

Elle s'assit sur le siège moelleux et promena ses doigts sur le cuir. Dire qu'elle craignait d'être trop bien vêtue ! Malgré ses explications, Jane se demanda comment il pouvait s'offrir une voiture si luxueuse et des vêtements si raffinés. Elle le jaugea tandis qu'il prenait place à côté d'elle. N'était-il pas de ces gens qui dépensent tout leur argent sans penser au lendemain ? Elle décida de ne pas trop se laisser impressionner, surtout si elle avait à le côtoyer dans les temps à venir. Cette pensée la fit tressaillir. Après tout, ce n'était là qu'un rendez-vous exceptionnel.

Frank démarra. C'était un excellent chauffeur et, bien que Jane eût préféré conduire, elle se sentait décontractée. Les lumières d'Hattersville défilèrent rapidement tandis qu'ils s'engageaient à travers les rues escarpées. Lorsqu'ils atteignirent les limites de la ville, Jane s'inquiéta de savoir où ils allaient.

— A Brandenburg. J'ai pensé que cela vous ferait plaisir d'aller voir une pièce de théâtre.

Il lui jeta un coup d'œil.

— Est-ce que je me suis trompé ?

— Non, murmura-t-elle.

C'était bien loin du film auquel elle s'attendait.

— *Le Roi et Moi* se joue au théâtre Shakespeare. Vous connaissez ?

— Je l'ai vue à la télévision, il y a quelques années. C'est l'une de mes pièces préférées. Pendant des semaines, j'ai rêvé d'aller au Siam. Puis, j'ai appris qu'il n'existait plus, du moins tel qu'on le décrivait et je me suis sentie accablée. A partir de là, je me suis passionnée pour les chevaux et j'ai décidé de devenir artiste de cirque.

Il rit doucement.

— Faites-vous encore de l'équitation ?

— Quand j'en ai le temps. J'ai longtemps possédé un cheval, mais maintenant je n'en ai plus.

— Peut-être pourrions-nous faire une promenade ensemble un de ces jours ?

Elle le regarda. La faible lumière du tableau de bord n'éclairait que son profil. Il était merveilleusement beau.

— Quand ? demanda-t-elle.

Il lui jeta un coup d'œil.

— Le prochain week-end ?

— Vous pouvez déjà fixer un rendez-vous. Est-ce un pari que vous faites sur votre emploi du temps ?

— Non, non. J'ai un travail à faire la semaine prochaine mais je serai de retour vendredi.

Il pensa qu'il avait été bien inspiré de lui dire qu'il était chauffeur de poids lourds. Si son travail l'empêchait de la voir pendant quelque temps, il pourrait toujours prétexter une livraison lointaine. Il avait aussi pris la précaution de ne pas se montrer dans la Chevrolet rouge. Ainsi, il avait moins de chance d'être reconnu par Trask ou Moe. Frank considérait que sa vie privée ne concernait que lui. Ce n'était toutefois pas l'avis de la police d'Etat ou des gangsters avec lesquels il s'associait pour les besoins de son enquête.

Les paisibles montagnes défilaient comme des taches noires dans la nuit. Maintenant, la route était plus droite et la pente moins escarpée que dans la ville. Le soir, la circulation était fluide.

— Brandenburg est un peu plus loin sur la gauche, annonça Frank.

Ils franchirent une colline et les lumières de la ville apparurent. Emerveillée, Jane s'exclama :

— J'aime cette vue. C'est surprenant ! D'abord ces montagnes que la civilisation semble ne pas avoir touchées et puis, soudain, on aperçoit la ville et la présence des hommes.

— Vous parlez comme une citadine.

— Je n'ai jamais été attirée par le retour aux sources, reconnut-elle. Je suis un produit de notre époque. J'aime les villes et j'espère bien un jour visiter les plus grandes, New York, Paris, Londres et toutes celles qu'on voit sur les posters des agences de voyage.

— Je présume que vous avez peu voyagé.

— Oui, c'est vrai. J'ai grandi à Hattersville et je n'ai quitté l'Etat de Virginie qu'une ou deux fois lorsque j'étais petite.

Ses yeux sombres étaient rêveurs.

— J'aimerais bien voir ce qu'il y a au-delà de ces montagnes. Un jour, je les franchirai.

Frank prit la route qui descendait vers la ville. Brandenburg était encaissée dans une vallée. Le cours d'eau qui la traversait avait apporté le commerce, bloqué par les cols à l'accès difficile et elle était devenue l'une des villes les plus florissantes de l'Etat. Située au cœur d'une région urbaine, c'était aussi un centre culturel renommé.

Après avoir traversé le centre de la cité, ils parvinrent au théâtre. Jane admira ce bâtiment de style classique en granit blanc que semblaient défier des sculptures contemporaines, situées de part et d'autre de l'allée menant au grand escalier.

Ils trouvèrent facilement une place pour se garer. Aussitôt, Frank ouvrit la porte de la voiture et se pencha pour aider Jane à sortir. Toute sa vie, elle s'était insurgée contre la prévenance dont on l'entourait en raison de sa petite taille et de son apparence fragile. Mais là, elle était ravie.

Ils se retrouvèrent bientôt dans un immense hall de marbre blanc. Un tapis rouge les mena jusqu'à l'entrée de la salle. Jane contint sa surprise avec peine. Quand l'ouvreuse les conduisit à leurs places, elle s'assit sans un mot sur le fauteuil de velours bleu. Frank la regardait discrètement. Elle semblait presque intimidée et ce n'était certes pas ce qu'il avait souhaité. Peut-être le théâtre était-il une erreur, après tout. Il promena son regard sur le cadre luxueux. Il avait été ici tant de fois qu'il avait oublié combien ce décor pouvait paraître écrasant... surtout pour cette jeune femme d'une petite ville de province qui se croyait avec un chauffeur de poids lourds.

— Les places ont dû vous coûter terriblement cher, chuchota Jane.

— Ne vous inquiétez pas. J'ai eu une réduction sur les billets.

Elle se détendit un peu. Peut-être avait-elle surestimé le prix des places. Il y avait si long-temps qu'elle n'avait pas été au théâtre. Les sièges se remplirent rapidement et la lumière diminua peu à peu. Lorsque l'obscurité fut complète le lourd rideau se leva. Elle se joignit aux applaudissements quand les deux enfants qui incarnaient Anna et son jeune frère apparurent sur scène.

Les acteurs étaient excellents. Jane oublia le cadre pour se plonger complètement dans la musique et les dialogues. Lorsque le rideau tomba sur le roi mort et le dauphin, elle applaudit avec enthousiasme. Elle avait la gorge sèche et les larmes aux yeux. Pendant un court moment, elle craignit d'éclater en sanglots ; finalement elle maîtrisa son émotion et sourit à Frank.

— Ce spectacle vous a plu ? demanda-t-il.

— C'était merveilleux.

— La fin me rend toujours triste, dit-il.

— Moi aussi, mais il ne peut en être autrement. Anna et lui n'avaient plus d'avenir.

— Vous avez sans doute raison. Pourtant, j'aime à penser qu'il y avait peut-être une issue. Je suis un incurable romantique.

Il fendit la foule et l'aida à se faufiler derrière lui.

— Peut-être pensez-vous que je suis pessimiste, reprit Jane, mais c'est faux. Je vois seulement les choses comme elles sont.

Il la regarda avec curiosité tandis qu'ils s'approchaient de la sortie.

— Avez-vous eu beaucoup de déceptions dans votre vie ?

Elle fronça les sourcils. Sa vie personnelle était un sujet tabou.

— Non. Il m'arrive même d'être très insouciante.

Après avoir traversé le hall, ils sortirent dans la nuit. Jane remit son écharpe avant que Frank n'ait le temps de l'aider. Ils se retrouvèrent bientôt à l'intérieur de la voiture. Frank conduisit sans un mot jusqu'à Hattersville.

— C'est une ville éclectique, dit-il pour briser le silence. D'ici, on peut voir le centre avec ses lumières éclatantes et Bradwood dans la pénombre. On dirait que ces deux quartiers se rejoignent involontairement et combattent encore pour rester séparés.

— Les lumières sont les mêmes partout, corrigea-t-elle, mais il y en a moins à Bradwood. Certaines lampes sont grillées et n'ont pas été remplacées, d'autres ont été brisées par des pierres. Les gens ici sont négligents.

Elle se rappela alors que ses amis habitaient là et se reprit brusquement.

— Du moins, c'est ce qu'on dit. Je suis sûre que tout le monde n'est pas ainsi à Bradwood.

— Non, dit-il prudemment. Par ailleurs, les habitants du centre ne sont pas tous honorables.

Les plus vieux bâtiments d'Hattersville les entouraient. Après la promenade à Brandenburg, ils paraissaient encore plus anciens et usés par le temps. Jane leva les yeux vers le col qui servait de point de repère dans la région.

— Un jour, je m'en irai d'ici.

— Et pourquoi pas maintenant ?

Elle haussa les épaules.

— Quand vous grandissez dans un endroit, il devient une partie de vous-même. Mes amis sont tous ici, ma famille vit toujours dans la maison où j'ai grandi. J'aime mon appartement et il est proche de l'endroit où je travaille. Si je changeais de ville, je devrais repartir de zéro.

Sa voix se perdit un instant, puis elle reprit plus fermement :

— Mais tout de même, un jour, je m'échapperai.

Frank se gara dans le parking à côté de l'appartement de Jane et saisit sa main alors qu'elle s'apprêtait à sortir.

— Vous me plaisez beaucoup, Jane. Nous reverrons-nous ?

Lentement, elle acquiesça.

— Quand vous reviendrez en ville, appelez-moi.

— Oui, je vous le promets. Et pour samedi prochain ?

— C'est d'accord. Je vous invite à dîner. J'aime faire la cuisine lorsque j'ai des convives.

Pour moi seule, je me contente de sandwichs ou de boîtes de conserve.

— Alors, je ne peux pas laisser passer cela. A quelle heure puis-je venir ?

— Disons, dix-huit heures trente.

— Parfait.

Il la regarda avec douceur et, avant qu'elle n'ait eu le temps de réagir, il l'embrassa. Ses lèvres se pressèrent contre les siennes, son souffle caressa sa joue. Il se rapprocha d'elle, l'entoura de ses bras et la serra contre lui. A son tour, elle glissa ses mains sur son cou, ses doigts s'emmêlèrent dans son épaisse chevelure. Le monde alentour n'existait plus. Un feu l'embrasa alors qu'elle s'abandonnait à ce baiser. Au bout d'un moment, cependant, elle s'arracha à cette étreinte et le repoussa, doucement mais avec fermeté. Il l'interrogea de ses yeux sombres mais, devant son silence, s'éloigna à regret et lui ouvrit la portière. Jane avait besoin de temps avant de s'adonner à cette idylle.

Il lui prit la main avec une infinie douceur et elle trouva ce geste presque aussi troublant que le baiser qui les avait unis. Il l'accompagna jusqu'à sa porte. Jane franchit le seuil et lui souhaita bonne nuit. Un instant, elle espéra qu'il la suivrait à l'intérieur mais il se contenta de la regarder intensément comme s'il voulait garder en mémoire tous ses traits. Il avait des yeux d'un vert profond : une couleur que Jane avait toujours aimée. Un sourire éclaira son visage.

— Bonne nuit, Jane, lui dit-il. Ce fut pour moi un moment merveilleux.

— Pour moi aussi, chuchota-t-elle.

Chapitre 4

Jane jeta un œil dans son rétroviseur pour s'assurer que Bert la suivait bien avec sa dépanneuse. Elle s'approchait maintenant de la maison des Bachmann. Elle ralentit pour lire le nom des rues et tourna enfin dans une impasse étroite, bordée de maisons anciennes et bien tenues. C'était le genre de quartier où on s'attendait à trouver essentiellement des personnes âgées.

Elle consulta ses notes et eut un sourire triomphal. La voiture qu'elle recherchait était dans une allée, garée derrière une autre. Elle sortit ses papiers et contrôla le numéro d'immatriculation. Cette fois-ci, il n'y aurait pas d'erreur.

Après avoir adressé un signe à Bert, elle s'avança jusqu'à la véranda et appuya sur la sonnette. Une femme d'un certain âge ouvrit la porte. Jane prit son expression la plus séduisante.

— Madame Bachmann ? Est-ce que Bill est ici ?

— Attendez une minute.

Elle reprit d'une voix plus forte :

— Bill, il y a quelqu'un pour toi.

Un jeune homme dégingandé avec des cheveux blonds apparut. A la vue de Jane, une lueur d'intérêt brilla dans ses yeux.

— Vous voulez me voir ?

— Etes-vous Bill Bachmann ?

Après qu'il eut acquiescé, elle ouvrit la porte de la véranda.

— J'appartiens à la Société de crédit Palmer. Les clés de votre voiture, s'il vous plaît !

Il la regarda, d'abord incrédule, puis tenta de fermer la porte. Jane s'y attendait, elle la bloqua avec sa hanche.

— Ne faites pas d'histoires, monsieur Bachmann. Vos voisins sont assis dans la cour. Inutile de leur donner à penser que tout ne va pas pour le mieux. Ce serait désagréable pour vos parents.

Elle regarda tour à tour le jeune homme et sa mère.

— Si vous ne vous dépêchez pas, je fais un scandale.

— Donne-lui les clés, Billy, dit sa mère. Nous réglerons cela plus tard.

En fronçant les sourcils, il les tira de sa poche et les fit tinter dans les mains de Jane. Elle resta imperturbable. Puis sans un mot, elle quitta le porche et indiqua à Bert qu'il pouvait procéder au remorquage.

Jane nota l'heure sur son papier et glissa la clé dans la poche de son jean. La saisie avait été plus facile qu'elle ne l'imaginait. Une sensation de triomphe l'envahit.

Bert déposa l'auto dans le parking de Palmer et ferma la lourde barrière qui empêchait les propriétaires audacieux de venir récupérer leurs véhicules.

Jane le remercia et décida de rentrer chez elle.

Il était encore tôt et, en attendant Frank, elle pourrait faire une révision de sa voiture. Depuis quelque temps, elle avait des problèmes de moteur qu'elle ne parvenait pas à résoudre.

En chemin, elle s'arrêta à une épicerie pour acheter les ingrédients nécessaires au repas. Une fois chez elle, elle s'absorba dans la préparation d'un plat dont elle avait le secret. Lorsque tout fut prêt, elle régla le four et alla se changer. Elle ôta son chemisier, se vêtit d'un vieux tee-shirt, d'un jean usé et enfila une paire de baskets. Munie de sa radio portative et de ses outils, elle partit alors réparer sa voiture.

Assis sur un fauteuil miteux, Frank regardait Moe allumer une nouvelle cigarette. Ses gestes étaient imprécis, saccadés. De l'autre côté de la pièce, Trask était figé devant la fenêtre. Bien qu'il prétendît être calme, son corps exprimait une tension évidente, comme si quelque chose le tracassait.

Frank fit mine de lire son journal. Il devait garder la tête froide. Le moindre signe d'impatience pourrait le rendre suspect. Il bougea un peu sur le fauteuil et entendit les ressorts craquer sous son poids. Malgré son tee-shirt défraîchi et son pantalon usé, il ne semblait pas à sa place dans ce cadre.

Trask acheva d'un trait sa canette de bière et la jeta en direction de la poubelle. Elle roula sur le sol. Surpris par le bruit, Moe ne put réprimer un sursaut.

— Cette livraison, c'est pour aujourd'hui ou pour demain ? demanda-t-il nerveusement.

Lorsqu'il se retourna pour regarder Trask, Frank aperçut un revolver dans un étui fixé sous sa veste. Il se replongea dans sa lecture.

— Reste calme, ils viendront, lui dit Trask.

Mais ils ne pouvaient pas conduire une voiture pleine de dispositifs radio en plein jour, n'est-ce pas ?

Frank posa son journal. Les derniers mots l'avaient alerté.

— Vous attendez quelqu'un ?

— Oui, nous allons avoir une livraison du Nebraska.

— Du Nebraska ? Mais c'est loin d'ici.

— C'est juste, reprit Trask. C'est pourquoi nous n'avons jamais été pris. Etre imprévisible, telle est notre devise.

Il eut à l'adresse de Frank un sourire en biais.

— Vous comprendrez ce que je veux dire si ce marché se conclut entre nos deux patrons.

Il regarda tour à tour Moe et Frank, puis se tourna vers la fenêtre.

— Les voilà !

Frank le rejoignit et aperçut, venant vers la maison, deux hommes de taille moyenne, à l'aspect anodin.

Lorsqu'ils entrèrent, Trask les présenta comme étant Bob et Harry. Frank grava leurs visages dans sa mémoire. L'accent de Bob indiquait qu'il venait du Nord-Ouest, peut-être du Montana. Harry devait être de la région. Il lui remit les clés d'un petit entrepôt.

— Que dois-je faire ? demanda Frank en se tournant vers Trask.

— Une livraison pour nous si vous n'y voyez pas d'inconvénient. Vous irez porter les dispositifs radio dans un entrepôt en dehors de Brandenburg et vous les remettrez sur les docks à J. T. que vous trouverez sur le bateau nommé *Lady Belle*.

Frank comprit qu'on le soumettait à cette épreuve pour le tester. Il décida de jouer le jeu.

— S'attend-il à ma visite ?

— Evidemment. Les colis portent la mention : Fragile.

— Entendu.

Il glissa les clés dans sa poche, demanda où se situait l'entrepôt et partit.

Après s'être emparé des colis, il reprit l'autoroute en direction de Brandenburg. Puis il la quitta pour s'engouffrer dans une route étroite. Lorsqu'il fut hors de vue, il s'arrêta et ouvrit le coffre. A l'aide d'une lame de rasoir, il fendit la bande de Scotch qui maintenait les colis fermés.

— J'ai ici deux colis portant la mention : Fragile, dit-il à l'intention du dispositif radio dissimulé sous le plancher de son auto. A l'intérieur, il y a des radios. C'est du reste ce que l'on m'avait dit. Pas la moindre trace de drogue. Par ailleurs j'aimerais que vous fassiez une enquête sur un dénommé Bob : origine Montana, taille moyenne, signe distinctif : balafre sur la joue gauche, ainsi que sur un certain Harry : origine Virginie, taille moyenne, chauve.

Il referma les colis et repartit. Bientôt, les docks apparurent et il trouva facilement le *Lady Belle*. Un homme robuste vint à sa rencontre.

— Etes-vous J. T. ? demanda Frank.

— Oui.

L'homme s'appuya sur la portière et jeta un œil à l'intérieur de la voiture.

— J'ai les marchandises que vous avez commandées. Où dois-je les déposer ?

— Je m'en occuperai moi-même.

L'homme suivit Frank jusqu'au coffre et s'em-

53

para des deux colis. Puis sans un mot, il retourna vers le bateau.

Après avoir refermé le coffre, Frank repartit. L'homme n'avait rien remarqué d'anormal et il rapporterait à Trask que Jay Malcolm avait bien fait son travail. Frank vérifia qu'on ne le suivait pas et décida de passer chez lui. Puisque Trask ne lui avait pas demandé de revenir, il pouvait consacrer le temps qui lui restait à changer de vêtements et de voiture.

Grâce à un héritage de sa grand-mère et à des années de travail dans un bureau d'études, il n'avait jamais manqué d'argent. Il avait acheté sa maison quelques années auparavant et aimait y vivre. C'était une habitation de style colonial, ornée de grandes colonnes blanches qui s'élevaient jusqu'au toit. Elle était faite de briques rouges avec de grandes fenêtres qui captaient la lumière. Peut-être pourrait-il un jour la montrer à Jane. Il aimerait lui faire découvrir son monde. Mais il se rappela alors qu'il ne la connaissait qu'à peine.

Il entra et se dirigea aussitôt vers sa chambre. Le gardien de la maison avait pris sa journée. Pour meubler le silence, Frank sifflota un air populaire tandis qu'il se douchait. Il allait enfin pouvoir s'offrir un vrai week-end. Son travail commençait à lui peser. S'il pouvait obtenir les noms dont il avait besoin avant la fin de la semaine suivante, cela l'arrangerait.

Il se lava les cheveux et les essuya. Il avait besoin d'une bonne coupe, mais Jay Malcolm devait porter des cheveux longs. Jane devrait se résigner à le voir ainsi pendant quelque temps encore. Il se vêtit ensuite d'un pull-over brun et d'un pantalon bleu marine. Il se dispensait de cravate aussi souvent que possible.

Toujours en sifflotant, il prit sa Mercedes bleu nuit et se dirigea vers Hattersville. Il imaginait Jane s'affairant à préparer le repas. Sa cuisine était probablement rustique, avec une nappe en toile cirée et la théière traditionnelle au milieu de la table. C'était le genre de femme qui éveillait chez un homme le désir de stabilité. Mais était-ce ce qu'il voulait vraiment ?

S'il s'était consacré avec tant de passion à son travail, c'est parce qu'il n'avait à s'occuper que de lui-même. Il pouvait sortir tous les soirs, personne ne s'en plaignait. Certes, sa solitude lui semblait parfois lourde à porter. Mais il était plus libre. Sa vie présente contrastait avec celle qu'il avait eue pendant ses années de mariage.

Il se gara près de l'appartement de Jane. Sa montre lui indiqua qu'il était en avance. Qu'importe ! Il pourrait toujours l'aider à faire la cuisine. Durant ses deux années de célibat, il avait appris à mitonner des petits plats.

Une vieille Ford bleue était en stationnement juste devant chez elle. Le capot était levé. Il vit une femme penchée sur le moteur. Frank se fraya un chemin parmi les outils disséminés sur la pelouse. Et, soudain, il se rappela avoir déjà vu cette voiture quelque part.

— Jane ? dit-il d'un air de doute. Avez-vous perdu quelque chose ?

La pince métallique se tut brusquement. Des profondeurs de la voiture surgit une voix.

— Déjà ! Quelle heure est-il ?

Frank jeta un œil à sa montre.

— Six heures et quart.

Jane se redressa et fit tomber la poussière de

ses cheveux. Ses joues étaient sales. Elle adressa un signe à Frank.

— Pourquoi êtes-vous en avance ? Regardez dans quel état je suis !

Elle se replongea sous le capot.

— Excusez-moi ! Je n'en ai pas pour longtemps.

Elle l'avait à peine entrevu mais déjà la façon dont il était vêtu s'était gravée en elle. A le sentir si près, elle ressentit une légère appréhension.

— Vous réparez vous-même votre voiture ? demanda-t-il.

— Oui, je ne peux pas me permettre de payer un mécanicien. Passez-moi le compteur d'huile et mettez le moteur en marche, s'il vous plaît.

En se concentrant sur son travail, elle espérait vaincre son anxiété. Il ne fallait pas que Frank se rende compte de l'effet qu'il produisait sur elle.

Lorsqu'il fit démarrer le moteur, elle contrôla si tout allait bien.

— Vous pouvez l'arrêter, cria-t-elle enfin.

Dans le silence qui suivit, elle saisit un chiffon propre et s'essuya les mains.

— Pourquoi êtes-vous en avance ? demanda-t-elle encore.

Elle essaya de prendre un air désinvolte mais n'y parvint pas tout à fait.

Frank se rapprocha d'elle.

— Je pensais vous aider à préparer le dîner. Je ne m'attendais pas à vous trouver ici. Voulez-vous que je revienne plus tard ?

Peut-être s'était-elle mal exprimée.

— Non, je regrette simplement que vous m'ayez vue dans cette tenue. Mais ce n'est pas grave.

Elle lui sourit et ferma sa caisse à outils.

Frank la lui prit des mains et la chargea dans le coffre. Elle était lourde et il s'étonna que Jane, malgré sa frêle apparence, ait eu la force de la porter.

Après qu'elle eut refermé le capot, elle l'invita à la suivre dans l'appartement. Là, elle lui désigna le divan.

— Je vais me laver mais je n'en ai pas pour longtemps. Il y a des magazines sur l'étagère et vous pouvez allumer la télévision si vous en avez envie. A tout de suite.

Quand Jane réapparut un peu plus tard, Frank lisait le titre des livres disposés sur l'étagère. En l'entendant entrer, il se retourna.

— Vous êtes superbe. Quelle transformation !

Elle avait pris une douche et ses longs cheveux noirs retombaient librement sur ses épaules. Elle portait un chemisier de soie blanc et un pantalon brun. Ses boucles d'oreilles en or, l'anneau passé à son poignet, son maquillage, tout tendait à en faire une autre femme.

— On apprend beaucoup d'une personne à travers ses lectures.

Il promena sa main sur la couverture des livres.

— Jung, Hemingway, Faulkner. Vous avez un goût très sûr.

— J'aime lire.

La lumière projetait des reflets argentés sur les cheveux roux de Frank. Il était grand et bien bâti. De son corps émanait une impression de force et de souplesse.

— Comment avez-vous trouvé l'Idaho ?

Il la regarda, étonné.

— L'Idaho ?

— C'est bien là où vous êtes allé cette semaine ?

— Ah ! Oui... Comme d'habitude. Et vous, vous avez eu beaucoup de travail ?

— Oui, j'ai été très occupée. J'ai saisi une autre voiture aujourd'hui, la bonne cette fois-ci.

La sonnerie du four les interrompit.

— Excusez-moi, je dois aller m'occuper du dîner.

Il la suivit jusqu'à la cuisine et s'appuya contre le chambranle de la porte. Contrairement à ce qu'il avait imaginé, la pièce était moderne, décorée de couleurs audacieuses qui semblaient s'opposer entre elles. Tous les ustensiles étaient rangés soigneusement sur les étagères. Frank se rappela que Jane s'était déclarée bonne cuisinière.

— J'ai l'impression que cette pièce vous inspire.

— Je l'aime bien ; pourtant ma mère dit que ma cuisine la rend nerveuse.

— A-t-elle été élevée aux Etats-Unis ?

— En Louisiane. C'est une métisse.

A son air intrigué, Jane comprit qu'il voulait en savoir plus. Elle poursuivit :

— Ma grand-mère japonaise a épousé un soldat américain après la guerre. De cette union est né un enfant : mon père. Il a étudié à l'université où il a rencontré ma mère. Dès qu'ils ont obtenu leurs diplômes, ils se sont mariés. Ils ont eu deux enfants, mon frère et moi.

— Vivent-ils toujours à Hattersville ?

— Non, mon frère est parti avec sa femme dans le nord de la Nouvelle-Angleterre. Lui et sa famille ne viennent ici qu'une ou deux fois par an. Quant à mes parents, ils ont pris leur retraite

58

dans le Sud. Il n'y a que ma grand-mère qui est restée.

Elle sourit.

— Aimeriez-vous la rencontrer ? C'est vraiment une grande dame.

— Oui, j'aimerais bien.

Jane se demanda pourquoi elle lui avait fait une telle proposition. Elle avait longtemps tardé à présenter Doug à sa famille, de crainte qu'il y ait rupture entre eux. Serait-ce différent avec Frank ? Elle avait tendance à le croire.

— Et votre famille à vous ? demanda-t-elle tandis qu'elle sortait la vaisselle du placard.

Frank marqua une hésitation.

— Ma famille vit à Brandenburg. Puis-je vous aider ?

Il prit les assiettes et les disposa sur la table de la petite salle à manger. Il ne fallait pas que Jane en sache trop sur lui, d'autant que son enquête semblait s'éterniser. Il ne lui en avait déjà que trop dit.

Jane le regarda mettre la table en fronçant les sourcils. Apparemment, il ne voulait pas parler de ses parents. Peut-être s'était-il brouillé avec eux. Jane avait le sens de la famille et elle espéra que les choses s'arrangeraient.

Elle ouvrit le four et en sortit un plat. Une odeur de parmesan emplit la cuisine.

— Voilà ! dit-elle triomphante. Ma spécialité, les spaghettis.

— Des spaghettis ?

— Vous n'aimez pas ?

— Si, si. J'adore la cuisine italienne.

— Eh bien, tant mieux. J'ai mis dedans toutes sortes de fromages et d'autres choses encore dont je vous réserve la surprise.

Frank sourit. Jane devait paraître excentrique aux yeux de sa grand-mère japonaise qu'il imaginait plutôt traditionnelle. Il se surprit à penser que ses parents adoreraient Jane. Sans hésiter, il la leur présenterait, dès que la situation le lui permettrait.

Chapitre 5

Après le dîner, Frank mit l'électrophone en marche. Une musique douce se répandit dans l'appartement. Jane s'assit sur le divan du salon et il la rejoignit. Il la fixait avec des yeux troublants.

— Aimeriez-vous regarder la télévision ? demanda-t-elle.

— Non. Dois-je vous avouer que le dîner était délicieux ?

Sa voix était profonde et séduisante. Jane détourna son regard.

— On pourrait aller au cinéma.

— Non. Vous ai-je déjà dit que vous étiez merveilleuse ?

Elle hocha la tête en silence. Frank appuya son bras contre le dossier du divan et caressa une mèche de ses cheveux.

— Comme ils sont doux !

Jane se sentait mal à l'aise. Son cœur battait la chamade et elle n'était pas du tout sûre de la conduite à tenir. S'il essayait de l'embrasser, elle ne pourrait pas résister. Le souvenir de ses lèvres chaudes l'avait hantée toute la semaine.

Il la contemplait maintenant avec amusement.

— Aimeriez-vous danser ?

— Ici ? chuchota-t-elle.

— Pourquoi pas ?

Il se leva et lui tendit la main.

Après une brève hésitation, elle se joignit à lui. Il la regarda dans les yeux et elle eut l'étrange sensation qu'il lisait dans ses pensées. Elle essayait de se concentrer sur la mélodie mais, invariablement, son regard revenait vers lui. Petit à petit, il l'entraînait au rythme de la musique. Jane ne s'était jamais considérée comme une grande danseuse. Bien qu'elle ait pris de nombreux cours de danse, dans les soirées, elle se tenait le plus souvent à l'écart. Mais là, ils étaient en parfaite harmonie comme s'ils s'étaient exercés ensemble pendant des semaines.

Un second air succéda au premier. Jane ne pouvait s'arracher aux bras de Frank, oubliant même combien il était étrange de danser dans cette pièce. Lorsque la musique s'interrompit, ils marquèrent un temps d'arrêt mais ne songèrent pas un seul instant à se séparer. Les yeux plissés, elle remarqua combien les siens étaient beaux et ombrés de cils noirs. Son nez lui fit penser à celui des statues grecques. Il avait des lèvres rieuses et la peau cuivrée, signe qu'il vivait beaucoup à l'extérieur. L'ombre d'une barbe soigneusement rasée se dessinait sur son menton.

La musique reprit et il se pencha pour l'embrasser. Effrayée, Jane recula : son visage exprimait une indicible détresse.

— Non, je vous en prie.

— Pourquoi ? Vous ai-je laissé l'autre soir un souvenir désagréable ?

Jane était trop honnête pour mentir.

— Non.

— Et vous avez pour règle de refuser ce que vous aimez ?

Il caressa à nouveau ses cheveux. Ils semblaient doux comme de la soie.

— En vous invitant, mon intention n'était pas... Une aventure d'une nuit ne m'intéresse pas.

— Mais moi non plus.

— Pour moi, l'amour physique n'est pas un jeu mais un engagement.

Le vertige l'envahit, comme si elle avait oublié de reprendre son souffle.

— Et je ne veux pas m'engager, ajouta-t-elle.

— Pourquoi ? se surprit-il à dire. Avez-vous peur de notre amour ?

— Comme disent les chansons, l'amour laisse des blessures. Un jour, l'un s'en va et l'autre souffre.

— Toujours ?

— Oui.

Sa voix était imprégnée de toutes les émotions qu'elle avait ressenties quand Doug l'avait quittée. Elle se reprit.

— Non, pas toujours.

Doucement, Frank l'attira vers lui. Elle se blottit dans ses bras et lutta contre les larmes qui lui venaient aux yeux. Elle détestait pleurer, surtout devant quelqu'un.

— Venez vous asseoir, suggéra-t-il.

Elle se laissa mener jusqu'au divan, en prenant garde de bien cacher ses yeux humides.

Frank mit son bras autour de son cou et l'attira à nouveau contre lui. Son attitude était protectrice.

— Racontez-moi. Comment s'appelait-il ?

— Doug.

— Etait-ce votre mari ?

— Non, mais il aurait pu l'être.

Sa voix se brisa et elle s'efforça de rester aussi calme que possible.

— Nous nous sommes rencontrés au collège et nous avons vécu deux ans ensemble. Il voulait que nous fassions un essai de vie commune avant de nous marier. Ainsi, disait-il, la peine serait moins grande si nous devions nous séparer.

L'amertume la reprit.

— Mais je considérais que nous étions mariés. Aussi notre rupture me fit terriblement souffrir. C'était il y a trois mois.

Frank la serra plus fort contre lui. Il était convaincu qu'elle se confiait pour la première fois.

— Et pourquoi avez-vous rompu ?

Jane lutta à nouveau pour réprimer ses larmes.

— Oh ! c'est simple. Un jour, Doug a rencontré quelqu'un d'autre. Maintenant, il est marié.

— Je vois.

Frank s'étonna de ne pas la voir pleurer. A sa place, sa sœur aurait éclaté en sanglots. Nora aussi. Le souvenir de la femme qu'il avait perdue le fit frémir un instant et, comme d'habitude, il le repoussa. Doucement, il releva le menton de Jane jusqu'à ce qu'il pût voir ses yeux embués.

— Jane, je comprends votre peine. Et si cela peut vous consoler, je pense que cet homme devait être bien stupide pour se séparer de vous.

Elle eut un gros soupir et secoua la tête.

— Vous savez, Frank, je suis parfois bien ennuyeuse. Vous ne me connaissez pas encore assez.

Il se retint de sourire.

— Les gens ennuyeux n'ont pas le sentiment de l'être. Je ne connais pas Doug mais j'imagine que c'était un éternel insatisfait.

— Oui, c'est vrai. Les derniers mois, il m'adressait sans cesse des reproches.

— Je pense, dit Frank, que vous n'avez rien à regretter.

Elle détailla son visage et n'y vit que de la sympathie. Ses yeux, pourtant, exprimaient des sentiments plus profonds.

— Malgré tout, nous étions liés et cette union n'a abouti qu'à des souffrances. Ainsi va l'amour.

— Non. S'il vous a fait souffrir, c'est qu'il ne vous aimait pas. Souvenez-vous-en. C'est important.

Elle lui adressa un sourire charmant.

— D'où vous vient cette sagesse ?

— D'une certaine façon, j'ai connu ce que vous ressentez, moi aussi.

Jane vit une ombre de tristesse se dessiner dans ses yeux.

— Récemment ?

— Non, pourtant j'ai parfois l'impression que c'était hier.

— M'en parlerez-vous, un jour ?

— Certainement. Mais je crois que nous pourrions changer de sujet pour ce soir. Avez-vous déjà confié votre souffrance à quelqu'un ?

En secouant la tête, elle se demanda comment une femme avait pu rompre avec Frank. Cette supposition lui paraissait presque impossible. Etre aimée d'un homme comme lui était si merveilleux.

— Je suis content que vous m'ayez parlé ainsi, reprit-il. Maintenant, je comprends mieux vos réactions..Vous avez peur d'avoir mal.

Lentement, elle acquiesça.

— Une liaison sans la promesse d'une tendresse impérissable ne m'intéresse pas.

— Jane, rien ne peut garantir un amour durable. La vie me l'a appris.

La douleur se grava sur son visage.

— Jamais. Nous ne pouvons qu'essayer.

— Vous avez l'air d'avoir une grande expérience.

Il resta un instant silencieux, puis chuchota :

— Je pense que nous avons beaucoup en commun.

Jane était songeuse. Ainsi, derrière son assurance et son humour, cet homme cachait une certaine vulnérabilité. Sans doute le montrait-il rarement.

— Frank, je commence à éprouver un tendre sentiment pour vous... plus que je ne le devrais.

Il pressa son front contre le sien.

— Moi aussi, Jane. Que devons-nous faire d'après vous ?

— Je ne sais pas. J'ai une peur terrible de souffrir à nouveau et pourtant, quand nous sommes ensemble, j'oublie tout. Mais je ne vous connais pas depuis très longtemps et je ne sais presque rien de vous.

Frank ferma les yeux et respira son parfum. Il devait être très prudent. Trop en dire risquait de lui nuire, si elle venait à parler de lui. En revanche, s'il se montrait trop discret, elle s'éloignerait car elle se méfiait des hommes.

— J'ai plus ou moins grandi à Brandenburg. Comme vous le savez, ma famille vit là-bas... Ma sœur, mes grands-parents ainsi que des oncles et des tantes.

— Quand avez-vous décidé de devenir routier ? demanda-t-elle. Je suppose qu'il ne doit pas y avoir très longtemps.

— Qu'est-ce qui vous fait dire cela ?

— Vos mains. J'imagine que manœuvrer un camion pendant des heures doit les rendre calleuses.

— Très bonne déduction. En effet, je suis un débutant dans le métier.

Il regrettait vivement de lui avoir raconté qu'il était chauffeur de camions. Vivre dans le mensonge alors qu'il travaillait se révélait facile, mais avec Jane cet état de fait devenait un véritable supplice.

Elle acquiesça comme si elle acceptait sa réponse.

— Quand repartirez-vous ?

— Mardi. Je serai absent trois jours.

— Où irez-vous cette fois-ci ?

— A la Nouvelle-Orléans. Je dois transporter du matériel de pêche.

Elle se redressa et lui caressa la joue.

— Vous devez voir du pays.

— Un jour, je vous montrerai tous les endroits que vous avez envie de découvrir, lui dit-il ; autrement qu'en camion, il va de soi.

Il poursuivit avant qu'elle ne l'interrompe :

— On voyagera en avion, en train, en voiture, comme il vous plaira.

Soudain, elle se sentit radieuse. Ses propos évoquaient des promesses qui lui souriaient. Certes, elle doutait d'avoir un jour assez d'argent pour se rendre à la Nouvelle-Orléans, mais de l'envisager lui faisait apprécier davantage ce qu'il disait.

— Je prendrai l'avion, reprit-elle. Je partirai

de jour et reviendrai de nuit. Ainsi, le contraste sera saisissant.

— Vous n'avez jamais pris l'avion?

— Non. Une fois, j'avais projeté de rendre visite à ma tante de Louisville mais, à ce moment-là, j'ai trouvé mon travail chez Palmer et je n'ai plus eu l'occasion d'y aller depuis.

Frank la prit dans ses bras et elle pencha la tête pour rencontrer ses lèvres. Ils échangèrent un tendre baiser. Avait-elle raison de s'abandonner ainsi?

La sentant hésitante, il la regarda un instant. Quand elle ferma les yeux à nouveau, leurs lèvres se joignirent avec une passion redoublée.

Le baiser de Frank était chaud et sensuel, son souffle caressant. Jane avait l'impression de vivre un rêve. Doucement, elle retira ses lèvres et blottit son visage au creux de son épaule. Elle sentit jouer ses muscles à travers l'étoffe. Sous son apparente minceur, se cachait une force évidente.

Dans un redoublement de passion, leurs langues se rencontrèrent. Avec volupté, elle promena ses doigts dans ses cheveux épais. Comme ils étaient doux! Leur couleur, aussi, était fascinante. Ils étaient profondément roux, lumineux.

— Quand vous étiez petit, dit-elle, vous deviez avoir des cheveux rouges.

Il éclata de rire.

— Presque, oui! Quant à vous, je vous imagine avec un jean et des nattes.

— J'ai toujours été un garçon manqué.

Tandis qu'elle parlait, une étrange langueur l'envahit. Elle avait rarement éprouvé pareil trouble.

— Une chose que je n'ai jamais partagée avec

68

Doug, reprit-elle, c'est l'amitié. Je ne veux pas dire par là que c'est tout ce que j'attends de notre relation, mais si nous devons nous revoir, j'aimerais être votre amie. D'accord?

— Bien sûr, mais il y a infiniment plus entre nous, et votre désir n'est-il pas que nous nous aimions?

Jane se perdit dans le vert de ses yeux.

— Si. C'est aussi mon désir et c'est bien ce qui m'effraie.

Elle se sentait comprise par cette vive sensibilité qui percevait toutes les nuances de ses mélancolies passagères.

Lentement, elle acquiesça.

— J'aimerais qu'on se revoie.

— Moi aussi.

Il rencontra à nouveau ses lèvres. Il n'aurait pas dû s'abandonner ainsi... pas encore. Mais comment endiguer le flot de la passion? Jane était douce et consentante : une source de joie inépuisable. Le bon sens aurait voulu qu'il s'en aille maintenant et ne revienne qu'à la fin de sa mission. Au lieu de quoi, il demanda :

— Que diriez-vous d'un pique-nique pour demain?

— Oh, oui! J'adore les pique-niques, surtout au printemps.

Elle avait le souffle court, son visage exprimait déjà l'attente du lendemain.

— Nous pourrions aller au parc floral. J'y ai fait un tour cet après-midi, l'herbe était couverte de fleurs sauvages.

— Je viendrai vous chercher à midi.

Il posa ses mains sur ses frêles épaules et sentit la chaleur de son corps sous son fin chemisier. Elle était si menue, presque fragile. Lui était robuste et se sentait plutôt gauche tandis qu'il l'enlaçait. Il sourit en pensant combien sa fragilité contrastait avec son tempérament. Il avait connu des hommes de plus d'un mètre quatre-vingts bien moins courageux qu'elle.

Il l'embrassa sur la joue et perdit son visage dans ses cheveux d'ébène. Ils étaient incroyablement fins.

— Vous avez les plus beaux cheveux que j'aie jamais vus, s'exclama-t-il.

— On m'a souvent dit qu'ils étaient trop longs. Je devrais les porter plus court.

— Non. Gardez-les longs. Je vous aime ainsi.

Il leva l'ovale de son visage vers le sien. Toute idée de relation amicale était bien loin maintenant. Passionnément, elle lui tendit ses lèvres. Son corps se plaqua contre le sien comme s'il voulait rivaliser avec.

Presque inconsciemment, il glissa ses mains jusqu'à sa gorge.

Il la caressa avec la plus grande douceur. Le désir s'emparait de lui avec une force qu'il n'avait pas soupçonnée et, quand Jane se mit à gémir de plaisir, le sang coula si vivement dans ses veines qu'il en frémit. Il ressentit un besoin impérieux de repousser tous les obstacles qui les séparaient et de l'aimer jusqu'à ce qu'ils se dépassent l'un et l'autre. Seul, le respect qu'il avait pour elle parvint à le sauver.

Avec un grand effort, il se recula et laissa glisser sa main jusqu'à la taille de sa compagne.

— Jane, dit-il d'une voix rauque, je dois partir maintenant.

— Je vois.

— Non, vous n'y êtes pas.

Il prit son visage entre ses mains pour l'obliger à le regarder.

— Si je ne m'en vais pas maintenant, je ne partirai plus. Or, je voudrais construire avec vous une relation durable et j'aimerais qu'il n'y ait aucune méprise à ce sujet. Nous devons prendre le temps de réfléchir.

— Vous avez raison, dit-elle. Il est préférable que nous nous connaissions mieux.

Frank reprit son souffle et se leva pour partir. Son cœur lui ordonnait de rester. Elle aussi le voulait. Mais son implacable logique lui disait qu'il regretterait au matin d'avoir cédé à son impulsion.

Sur le seuil, il l'embrassa doucement.

— Bonne nuit, Jane. A demain midi.

Sans lui laisser le temps de répondre, il s'en alla.

Chapitre 6

Frank se réveilla plein de remords. Il avait passé la moitié de la nuit à se demander ce que Jane éprouvait à son égard. Le reste du temps, il avait fait des rêves merveilleux où elle était constamment présente. En fin de compte, il se sentait plus fatigué qu'avant de s'être couché et Jane occupait entièrement son esprit.

Jamais une femme, en si peu de temps, n'avait pris tant d'importance à ses yeux. Lorsqu'il se retrouva dans la salle de bains, il s'appuya contre le lavabo et se regarda dans le miroir en fronçant les sourcils. Etait-ce bien lui qui avait ces états d'âme ?

De l'autre côté de la montagne, Jane était également réveillée et ses pensées prenaient un tour similaire. Elle repoussa draps et couvertures et, allongée sur le dos, fixa son regard au plafond. Elle qui craignait de s'engager, voilà maintenant qu'elle se précipitait, tête baissée, dans cette aventure. A sa décharge, Frank n'était en rien semblable à Doug et il n'agissait pas à la légère.

Elle leva sa jambe et fit un cercle en l'air avec son pied. Puis elle soupira. Depuis trois mois que Doug l'avait quittée, elle n'avait eu aucune liaison. Ce n'était certes pas faute d'occasions, mais elle n'avait jamais été tentée.

Elle tourna la tête et jeta un œil sur le réveil. Il n'était pas encore sept heures. Sans aucun doute, Frank dormait tranquillement à Brandenburg et ne devait pas se soucier d'elle. Elle s'étira. Pourquoi avoir refusé de l'aimer ? Elle était si bien dans ses bras...

Elle chassa cette pensée et s'interrogea sur elle-même. Elle n'avait jamais cherché à séduire qui que ce soit et n'aurait su dire comment s'y prendre. D'ailleurs, elle avait avoué à Frank que ce n'était pas son but lorsqu'il avait tenté de l'embrasser. Que devait-il penser d'elle ? Peu de bien puisqu'il l'avait quittée si rapidement.

Jane s'assit et replia ses jambes sous elle. Après avoir volé sa voiture, l'avoir fait arrêter et s'être comportée comme une célibataire effarouchée, elle pourrait difficilement lui en vouloir s'il ne revenait pas.

En désespoir de cause, elle se leva du lit et ôta son pyjama de satin. En passant devant sa glace, elle s'observa un instant et hocha tristement la tête. Elle était trop petite, trop mince, sa poitrine était un peu plate. Rien n'avait changé depuis la veille.

Elle fit couler la douche en se demandant pourquoi sa grand-mère n'était pas née en Islande plutôt qu'au Japon. Ainsi, elle aurait été grande et blonde au lieu d'être une petite Eurasienne.

L'eau ruissela sur elle et Jane ressentit un certain plaisir. Elle adorait les douches. Là où d'autres se seraient consolés avec un verre d'alcool, elle choisissait le ruissellement de l'eau. Elle se lava les cheveux et les rinça après les avoir enduits de crème. Lorsqu'ils étaient mouillés, ils semblaient vraiment lourds. D'une certaine façon, ses cheveux longs symbolisaient sa rébellion. A vingt-trois ans, elle aurait dû être mariée et avoir un enfant, au lieu de quoi elle conservait des allures de gamine.

Peut-être, pensa-t-elle tristement, resterait-elle toujours célibataire et, dans toutes les réunions de famille, elle devrait se résigner à entendre des propos du style : « Pauvre Jane, c'est la seule qui ne s'est jamais mariée. »

Elle eut une moue en enfilant son peignoir. Bien qu'elle fût indépendante, elle n'était pas d'un naturel solitaire. De plus elle aimait les enfants et en voulait au moins deux, un garçon et une fille.

Il était huit heures trente. Elle prit son petit déjeuner et rangea la cuisine. Elle n'était plus du tout convaincue que Frank viendrait la chercher. Plus elle y pensait, moins elle y croyait. Leur relation était plutôt mal partie. D'un air pensif, elle passa ses doigts fins dans ses cheveux encore humides.

Des cris d'enfants lui parvinrent d'un appartement voisin. Elle songea qu'elle ferait peut-être bien de chercher une maison. Un appartement avait des avantages, mais le calme et l'intimité n'y étaient guère préservés.

Comme elle soupirait une fois de plus, elle entendit sonner. Qui cela pouvait-il être à cette heure-ci ?

Frank était debout sur le seuil, un bouquet de fleurs printanières à la main.

— Je dois encore être en avance, dit-il.

Jane le regarda.

— Vous n'avez aucun sens de l'heure !

— Si vous voulez, je peux revenir dans...

Il consulta sa montre.

— ... trois heures.

Voyant deux de ses voisins flâner dehors, elle prit conscience de sa tenue et fit entrer Frank. Il lui tendit les fleurs.

— Je suis contente que vous soyez ici et ce bouquet est ravissant.

Jane disposa les fleurs dans un vase qu'elle posa sur la table du salon.

— Puis-je vous offrir un café ?

Il la regarda comme s'il avait envie d'exprimer des pensées plus intimes. Au bout d'un moment, il dit :

— Non, merci.

Instinctivement, elle resserra la ceinture de son peignoir.

— Je vais m'habiller, dit-elle, puis je préparerai de quoi manger et nous pourrons partir.

— C'est inutile. J'ai déjà fait des sandwichs.

— De si bonne heure !

— Je n'ai pas beaucoup dormi la nuit dernière.

Bien qu'il fût à l'autre extrémité de la pièce, Jane avait l'impression qu'il était tout près d'elle. Inconsciemment, elle fit un pas vers lui, puis s'arrêta.

— Je vais m'habiller, reprit-elle. J'en ai pour une minute.

— Prenez votre temps. Je ne suis pas pressé. Le ton de sa voix était éloquent. Lui aussi semblait hypnotisé.

Jane se hâta vers sa chambre. Pourquoi avait-il de nouveau tant d'avance ? Etait-ce l'envie de la voir ou bien était-il complètement désœuvré ?

Elle pensait beaucoup trop. Pour l'instant, elle n'avait qu'une seule chose à faire : s'habiller. Elle enfila un jean, se vêtit d'un tee-shirt et se regarda dans le miroir. Non, trop provocant. Ses seins se dessinaient clairement sous le vêtement. Pour cette sortie, il fallait s'habiller plus subtilement. Elle choisit un chemisier blanc, en coton, moulant mais tout à fait décent. Elle brossa ses cheveux et les coiffa. Le miroir lui renvoya l'image qu'elle attendait d'elle-même. C'était parfait.

Quand elle retourna au salon, Frank était assis sur le canapé. En la voyant, il se leva lentement. Elle ne portait rien sous son chemisier et son jean confortable moulait parfaitement ses hanches minces et ses jambes. De son abondante chevelure elle avait fait une longue tresse, ramenée sur l'épaule.

— Prête ? demanda-t-il avec un ton forcé.

Jane acquiesça et le précéda.

— Où est votre Mercedes ? demanda-t-elle tandis qu'elle se glissait dans la Chevrolet rouge.

— Chez moi. Cette fois, j'ai pris celle-ci pour changer un peu.

En fait, si Frank avait choisi la Chevrolet, c'est parce qu'il ne pouvait prendre le risque que Trask le vît dans une autre voiture. Un rendez-vous, il pourrait l'expliquer. Une nouvelle voiture, non.

Le parc, situé à une extrémité de la ville, avait pour attractions essentielles un vieux kiosque à musique et un petit étang à canards où l'on voyait d'ailleurs plus d'enfants que de canards. On avait érigé là une énorme statue en bronze du père fondateur d'Hattersville, Joshua T. Hatter.

Frank descendit la rue étroite bordant le parc et jeta à Jane un regard interrogateur.

— Pourquoi tout ce monde aujourd'hui ? Y a-t-il quelque chose de prévu ?

— Pas que je sache. Regardez, il y a une place libre devant vous.

Il se gara et observa avec circonspection la foule sur les pelouses. Quand il avait proposé un pique-nique, il n'avait pas compté avec une telle assistance. Si Trask ou Moe l'apercevait, il aurait bien du mal à s'expliquer.

— Ne préféreriez-vous pas un endroit plus tranquille ? demanda-t-il.

— Maintenant que nous sommes là, allons voir ce qui se passe. Si ce n'est pas intéressant, nous partirons.

Frank ouvrit la porte à Jane et prit le sac à sandwichs sur la banquette arrière. Il jugea sa prudence excessive. Jay Malcolm pouvait avoir des rendez-vous comme n'importe quel homme. Il se faisait passer pour un voleur, pas pour un prêtre.

Ils se mêlèrent à la foule et se frayèrent un chemin jusqu'au lieu du spectacle. Deux hommes brandissaient une banderole sur laquelle était inscrit : Aux prochaines municipales, votez Red Sweeney. Ils aperçurent alors un podium et des chaises pliantes. Sur les marches, un homme corpulent discutait aimablement avec un de ses supporters.

— C'est le maire, M. Sweeney, dit Jane en le désignant. Il se présente pour un nouveau mandat.

Frank apprécia la cordialité étudiée du candidat.

— Pensez-vous qu'il va encore gagner ?

— Probablement. Il n'a jamais eu un concurrent sérieux dans la ville. Mon père dit souvent que tout Hattersville le soutient.

L'homme monta les marches et salua d'un

geste quelqu'un dans la foule. Dès qu'il atteignit le podium, on mit le micro en place. Tout était bien organisé. Il s'avança et prit la parole.

— Mes amis, je vous remercie d'être venus si nombreux. Je m'adresserai à vous d'ici une heure mais je voulais d'ores et déjà vous souhaiter la bienvenue. Vous pourrez trouver des boissons fraîches de l'autre côté de l'étang et il y aura des ballons pour les plus jeunes.

Puis le maire s'en alla commè il était venu.

— Parfaitement orchestré, s'exclama Frank. Il représente l'image même du parfait citoyen. Et quel savoir-faire ! Vous avez vu la façon dont il a retroussé ses manches. C'est digne d'un acteur.

— Chut ! On pourrait vous entendre. Ici à Hattersville, nous prenons notre maire très au sérieux.

— Voulez-vous dire que vous croyez tout ce qu'il raconte ?

— Pas vraiment, mais je pense que c'est un honnête homme qui prend l'intérêt de notre ville à cœur.

Ils flânèrent le long de l'étang à canards. L'eau ridée reflétait le ciel blanc et le paysage alentour. Jane s'approcha du rebord et sentit le sable crisser sous ses chaussures. De l'autre côté, l'étang était bordé de grosses pierres qui recouvraient le sol, jusqu'au pied de la montagne. Elle y conduisit Frank. Un sentier de fortune était tracé parmi les pierres désordonnées et Jane se mit à grimper avec assurance. Elle s'assit sur le rocher le plus haut et laissa pendre ses jambes de chaque côté. De là, elle avait un vaste point de vue sur l'étang, le parc boisé et la foule toujours grandissante.

Frank s'assit près d'elle et se pencha avec

precaution. Ils n'étaient pas très haut mais la pente était raide et inspirait la crainte.

— J'espère que vous n'avez pas le vertige ? demanda Jane.

— Non, non, bien sûr que non.

— J'aime être ici. Même lorsqu'il fait chaud, on trouve toujours un brin de fraîcheur à cette altitude.

Elle scruta la foule.

— Nous voyons les gens bien mieux qu'ils ne nous voient. Je pourrais les observer ainsi pendant des heures.

Jane posa ses deux mains sur la pierre qui semblait d'un équilibre douteux.

— Ne vous appuyez pas si fort, dit Frank.

Avec amusement, elle le regarda par-dessus son épaule.

— Il n'y a rien à craindre. Ce rocher est ici depuis que le parc existe. S'il devait tomber, il y a longtemps que ce serait fait.

Sa logique implacable rassura Frank et il se détendit. Plus que la foule, c'est Jane qui l'intéressait. Le soleil se reflétait sur ses cheveux d'ébène et dessinait des ombres sur sa peau. Le vent plaquait son chemisier contre sa poitrine et laissait apparaître l'ombre timide de ses seins.

En bas, le présentateur essayait de capter l'attention afin de présenter le maire. Bien que lointains, les sons contrastaient nettement avec le calme majestueux de la montagne.

— Avez-vous envie d'entendre le discours ? demanda Frank.

— Non. Je sais déjà pour qui je vais voter.

Elle ramassa quelques petits cailloux et les laissa tomber un à un.

— Quand je pense que, dans deux jours, vous

serez à la Nouvelle-Orléans, face au golfe du Mexique. J'ai du mal à le croire.

— Eh oui, il faut bien quelqu'un pour effectuer ce travail. Je suppose qu'il doit y avoir beaucoup de chantiers là-bas pour qu'ils aient besoin de toutes ces briques.

— Des briques ? Vous m'aviez parlé de matériel de pêche.

— Oui, vous avez raison. Je confondais avec une autre livraison.

Frank se mordit les lèvres. Il devait être plus prudent. Il n'arrêtait pas de faire des impairs, ce qui n'était pas dans ses habitudes mais, lorsqu'il était avec Jane, sa mémoire devenait floue.

Elle formula elle-même l'explication qu'il aurait souhaité lui donner.

— Je suppose qu'au bout d'un certain temps, avec toutes ces livraisons, vous finissez par vous y perdre, dit Jane.

Après avoir jeté le dernier caillou, elle recula un peu et prit appui sur le rocher, près de lui. Elle avait une idée.

— Etcs-vous déjà monté jusqu'au pré de la montagne ?

— Le pré de la montagne ?

D'où il était, il ne voyait rien d'autre que les collines rocheuses et le parc.

— Suivez-moi.

Elle se leva et le mena à travers les rochers jusqu'à une piste sinueuse, presque dissimulée sous les herbes. Au-dessus d'eux apparurent des cotonniers auxquels se mêlaient des érables et des chênes. Un lapin bondit presque sous les pieds de Jane pour aller se terrer dans les bois.

Les rochers étaient maintenant derrière eux et ils marchaient sous de grands arbres. A cette hauteur, il y avait encore de la neige et le sol était spongieux.

— Comment avez-vous trouvé cet endroit? demanda Frank.

— J'ai grandi ici, vous savez! Mon frère et moi avons parcouru la montagne en tous sens. Nous avons découvert des lieux où personne n'était jamais allé.

Elle lui adressa un regard rieur.

— Nous approchons du but.

Ils poursuivirent leur marche. Le sentier s'amenuisa et disparut mais Jane s'avançait toujours avec assurance. Les rochers réapparurent, encore plus nombreux. Une pierre glissa sous les pieds de Jane. Déséquilibrée, elle se retrouva contre Frank qui, d'instinct, la retint. Elle s'appuya contre lui de tout son poids. Ses yeux rencontrèrent les siens et, durant un instant, le monde parut s'arrêter de tourner.

— Excusez-moi, dit-elle enfin.

— Vous êtes blessée?

Elle secoua la tête. Comme il ne faisait aucun mouvement pour la relâcher, elle dut prendre sur elle pour s'éloigner de lui.

— Ce n'est plus très loin.

Tandis qu'ils pénétraient dans le sous-bois, elle pesta contre elle-même. Qu'est-ce qui l'avait pris de l'amener là-haut! C'était l'idée la plus stupide qu'elle ait jamais eue. Ils n'étaient plus des écoliers pour faire ce genre de promenade. Sans doute Frank la jugeait-il ridicule.

Jane se fraya un chemin dans les fougères et sortit à la lumière du soleil, en plein milieu du pré. Devant eux, les montagnes de Virginie s'étendaient à l'infini. Hattersville était devenue invisible.

Frank allongea le pas derrière sa compagne. Une légère brise agitait l'herbe haute. Il y avait des myriades de fleurs sauvages. Dans les bois proches, un oiseau entama une douce mélodie.

Il admira le paysage et secoua la tête.

— Les mots me manquent. C'est encore plus fabuleux que je ne le pensais.

— C'est un des plus beaux endroits que je connaisse. Malheureusement, il est difficile d'accès, sans quoi j'y serais plus souvent. D'ailleurs, je ne viens ici que lorsque je suis très heureuse ou que j'ai besoin de solitude. J'avais envie de vous y emmener.

Sans attendre sa réponse, elle poursuivit :

— Un jour, je monterai ici en hiver. La neige doit rendre le paysage plus beau encore. Mais j'ai toujours appréhendé de grimper jusqu'au pré toute seule au milieu de la glace.

Frank calqua sa marche sur la sienne.

— N'avez-vous jamais emmené quelqu'un d'autre ici ?

— Non. Pas même Doug.

Elle porta son regard jusqu'aux montagnes les plus lointaines qui baignaient dans une brume bleutée. Après une profonde inspiration, elle se tourna vers lui.

— Frank, j'ai un aveu à vous faire. Je vous ai conduit ici avec une arrière-pensée mais, si je vous dis laquelle, j'ai peur que vous ne vous mettiez en colère.

— Vraiment ?

D'emblée, il fut sur ses gardes. Pourquoi devenait-elle soudain si sérieuse ?

Elle le regarda intensément.

— J'ai décidé de vous séduire, dit-elle.

Comme il restait sans voix, elle ajouta aussitôt :

— Comprenez-moi. Une telle déclaration me coûte beaucoup et je ne vous en voudrai pas si vous décidez de redescendre.

Elle se tourna vers les montagnes.

— Je ne saisis pas moi-même ce qui m'arrive. Vous avez le don de me rendre étrange à mes propres yeux. Je n'ose même plus vous regarder.

Comme pour se contredire, elle lui jeta un coup d'œil, puis à nouveau contempla les montagnes.

— La nuit dernière, je n'ai pas dormi trois heures. Je me tournais et me retournais dans mon lit. Je ne pensais qu'à vous.

Sa voix tremblait, elle posa son regard sur les fleurs sauvages.

— Quand vous m'avez embrassée, je me suis sentie faible et quand vous m'avez caressée, je vous ai désiré.

Nerveusement, elle avala sa salive.

— Je vous ai tant désiré ! Mais je comprends, Frank, que vous ne ressentiez pas la même chose pour moi. Si je vous fais part de mes sentiments, c'est pour que vous sachiez pourquoi je ne peux plus vous voir désormais.

Il l'interrompit.

— Doucement. Ne reprenez-vous donc jamais votre souffle ? Pourquoi cette décision ? Vous venez juste de dire que vous éprouviez des sentiments pour moi.

— Vous ne saisissez donc pas ? fit-elle exaspérée. Ce n'est pas facile de se livrer, vous savez. Mais je vous le répète, je vous ai emmené ici sous de fallacieux prétextes alors que mon dessein était de vous séduire.

Il prit un air amusé et tourna le visage de Jane vers le sien.

— Je ne vois rien de très grave dans vos propos.

— Vous devez me trouver tout à fait maladroite.

— Savez-vous que vous êtes étonnante ? Essayer de suivre le fil de vos pensées relève de l'exploit. Tout d'abord, vous vous sous-estimez largement.

Elle pencha sa tête sur le côté.

— Et ensuite ?

Comme il la regardait sans comprendre, elle expliqua :

— Vous avez dit « tout d'abord ». J'attends la suite...

— Vous êtes impossible. Laissez-moi donc parler.

Le regard en biais, elle attendit.

Il poursuivit.

— Je vous trouve très attirante. Que vous le croyiez ou non, la plupart des hommes peuvent déjouer tous les stratagèmes féminins. Mais je ne doute pas un seul instant que, si vous l'aviez voulu, vous auriez pu facilement me convaincre.

— Je ne crois pas que je sois attirante.

— Ne vous êtes-vous jamais regardée dans un miroir ?

— Si, bien sûr. Je suis petite et maigre.

— C'est faux. Vous êtes belle.

Sa voix prit un ton plus intime.

— Vous êtes sans aucun doute la plus belle femme que j'aie jamais rencontrée.

Jane le regarda fixement. Il semblait sincère. A moins qu'il ne cherchât à se convaincre lui-même. Elle décida de ne pas répondre.

— Mais pour en revenir à votre offensive de séduction, qu'aviez-vous en tête ?

Jane l'étudia attentivement.

— D'abord, j'aurais détaché mes cheveux, dit-elle.

Tout en le regardant, elle défit lentement sa tresse. Ses longs cheveux noirs retombèrent en cascade dans son dos. La brise les agita un peu.

— Puis, poursuivit-elle, j'aurais défait le premier bouton de mon chemisier.

Elle entrouvrit son corsage et découvrit le haut de son buste. Puis elle se figea un instant, dans l'attente de la réaction de Frank.

— Continuez, lui dit celui-ci.

Aussitôt, elle détacha le second bouton, les autres suivirent.

Frank retenait son souffle.

Jane laissa son chemisier flotter au vent et mit ses mains dans les poches de son pantalon. Un demi-sourire entrouvrit ses lèvres.

— Voilà ce que je projetais de faire.

Frank s'approcha d'elle et promena doucement un doigt le long de son chemisier, effleurant à peine son corps. Elle ne fit aucun mouvement pour l'arrêter ou l'encourager et, peu à peu, il accentua sa pression. Ses seins étaient plus épanouis que ne l'aurait laissé supposer sa petite taille. Un rayon de soleil éclaira son visage tandis que son désir, éveillé par les caresses, allait grandissant. Frank s'enhardit. Il posa sa main sur un sein. Le cœur de Jane battait à grands coups. Lentement, il fit glisser le chemisier sur ses épaules.

— Jane, je n'ai jamais vu quelqu'un d'aussi parfait, murmura-t-il. Vous êtes exquise.

Sa taille, ses hanches minces lui donnaient

une indicible grâce. Frank acheva de la déshabiller avec des gestes tendres et l'enlaça passionnément. Puis, approchant ses lèvres des siennes, il murmura :

— Votre séduction est irrésistible.

Jane déplaça ses mains le long des bras de Frank et entoura son cou. Elle se suspendit à lui et lui offrit ses lèvres.

Pris dans les feux du désir, il caressa son dos, promena ses doigts dans ses cheveux. Puis il se rejeta en arrière et l'admira.

— Vous êtes terriblement séduisante, dit-il encore.

Jane sourit et le déshabilla à son tour. Sa peau cuivrée sentait le soleil, son corps, fort et musclé, ressemblait à celui du David de Michel-Ange.

Quand enfin il fut nu, incapable de contenir sa fougue, il la saisit et la fit tournoyer avant de capturer ses lèvres dans un baiser enivrant. Les longs cheveux noirs de Jane se soulevèrent comme des vagues, les entourant tous deux. Frank plongea ses doigts dans leur masse luxuriante et lentement fit glisser Jane sur le sol.

Ils s'allongèrent dans l'herbe. Jane sentit le corps de Frank peser sur elle de tout son poids. Elle tenta de se redresser tandis qu'il la couvrait de baisers ; attentive à la joie qui irradiait en elle, Jane se tendit alors vers lui et s'offrit à ses caresses.

Le désir monta en elle, bientôt irrépressible. Elle enserra Frank pour l'empêcher de partir et frissonna tandis que, de son côté, il se montrait plus pressant. Bientôt, il la fit sienne, se pliant à son rythme.

Le visage contre son épaule, elle étouffa les cris de la passion.

— Mon amour, dit-il, d'une voix altérée, laissez vos sentiments s'exprimer. Votre plaisir est le mien. Je vous aime ainsi, abandonnée.

Il l'embrassa alors avec tant d'ardeur qu'il éveilla de nouveaux feux en elle.

Jane sentit monter un plaisir infini et retint son souffle. Soudain, prise d'un délire sublime, elle sentit sa vie s'échapper par saccades. De toutes ses forces, elle s'accrocha à Frank.

Peu à peu, une douce torpeur fit place à la passion enfiévrée. Rêveuse, elle plongea ses yeux dans ceux de son amant. A sa grande surprise, il l'étreignit à nouveau, ranimant l'ardeur qu'il avait seulement contenue.

Cette fois, elle atteignit des sommets inégalés. Il se joignit à elle dans la même extase. Ils partagèrent ce merveilleux moment d'allégresse puis cette douceur qui suit les jeux de l'amour.

Jane resta dans ses bras et le regarda avec des yeux amoureux.

— Jamais je n'aurais pensé être aussi heureuse, chuchota-t-elle enfin.

— Et ce sera encore plus fabuleux quand nous nous connaîtrons mieux.

Elle chercha ses yeux.

— Voulez-vous dire que nous allons continuer à nous voir ?

— Madame, même si vous essayiez, vous ne pourriez plus vous débarrasser de moi.

Elle sourit de bonheur et l'embrassa tendrement.

Chapitre 7

Après avoir jeté un coup d'œil sur sa carte, Jane emprunta le pont qui menait à Bradwood, puis s'engouffra dans une rue étroite à la descente abrupte, bordée, d'un côté, par un talus d'immondices. De petites pelouses aux dimensions irrégulières étaient entrecoupées ici et là par un mince filet d'eau qui se jetait dans la petite rivière de la ville.

Bien qu'anciennes, les maisons n'étaient cependant pas aussi vétustes que celles situées plus bas dans la vallée.

Sur la gauche, apparut un groupe d'immeubles, avec son parking envahi d'épaves de voitures. Jane lança un regard dans cette direction et sursauta.

Elle était presque certaine d'avoir vu Frank traverser une cour. Mais c'était impossible puisqu'il était parti livrer des équipements de pêche à la Nouvelle-Orléans.

Elle contourna les immeubles et pénétra dans le parking. Frank n'était évidemment pas là, pas plus que sa très reconnaissable voiture rouge. Pourtant, l'homme qu'elle avait vu lui ressemblait étrangement. Il avait la même démarche et la même chemise écossaise que lui. N'importe qui pouvait avoir une chemise de ce type et bien que les cheveux roux comme les siens fussent

peu courants, ils n'étaient pas non plus particulièrement rares.

Jane se reprocha d'avoir trop d'imagination et
quitta le parking. La maison qu'elle cherchait
était en bas d'une allée escarpée qui devait être
impraticable en hiver.

Bert était déjà là avec la remorqueuse et il lui
adressa un signe. La voiture à saisir était dans la
cour, bien en évidence. Jane se gara à proximité
du véhicule et vit plusieurs enfants assis sous le
porche. A son arrivée, ils s'arrêtèrent de jouer
pour la regarder un instant, avant de disparaître à l'intérieur de la maison.

Tandis qu'elle traversait la pelouse, ils l'obser-
vèrent derrière les vitres sombres. Avant qu'elle
n'ait eu le temps de frapper, la porte s'ouvrit et
une femme apparut, s'essuyant les mains avec
un tablier. Sans rien dire, elle regarda Jane de la
tête aux pieds.

— J'appartiens à la Société de crédit Palmer
et je viens saisir votre voiture.

— C'est impossible. Mon mari n'est pas là.

— J'ai bien peur de ne pas pouvoir attendre.
Avez-vous les clés ?

— Non, revenez plus tard.

Deux des plus petits enfants observaient Jane
avec des yeux qui paraissaient immenses dans
leurs visages maigres. La femme ne leur prêta
aucune attention.

— J'ai pour consigne de la saisir aujourd'hui.

Jane espéra qu'elle pourrait conclure cette
affaire sans trop de difficultés.

— Ecoutez, mademoiselle, si je vous donne les
clés, mon mari me battra. En plus, je dois
m'occuper de tous ces marmots et il n'y a rien à
manger à la maison.

90

Ses yeux semblaient aussi misérables que le son de sa voix.

Jane regardait les enfants quand son interlocutrice ajouta :

— Il me quittera si vous enlevez la voiture.

— Mais il n'a pas payé ses traites !

De l'intérieur de la maison, une petite voix se fit entendre.

— Maman, est-ce que papa va vraiment revenir ? Tu avais dit...

— Silence ! hurla la femme par-dessus son épaule.

Puis elle implora Jane.

— Ne faites pas attention à ce qu'il dit. Les enfants disent toujours tout ce qui leur passe par la tête.

Jane décida de changer de méthode. Elle baissa la voix comme si elle ne voulait pas que Bert l'entende.

— Ecoutez, je n'aime pas agir de la sorte mais j'y suis obligée. Si je ne rapporte pas cette voiture...

Elle écarta les mains d'un geste désespéré.

— ... je perdrai mon travail.

La femme cligna des yeux. Elle regarda Bert et demanda :

— Est-ce votre mari ?

— Non, c'est un collègue. Je ne suis pas mariée. Ce travail est très important pour moi.

En soupirant, la femme se recula et décrocha les clés d'un clou.

— Voilà. Prenez-les. Mon mari est parti faire la fête et nul ne sait quand il sera assez lucide pour retrouver le chemin de la maison.

Puis d'un air complice, elle ajouta :

— Je lui dirai que quelqu'un l'a emportée.

Jane sourit.

— Merci. J'apprécie votre geste.

Tandis que Bert remorquait la voiture à saisir, Jane retourna dans la sienne. Lentement, les enfants intrigués se regroupèrent sous le porche pour regarder la manœuvre. Jane quitta précipitamment l'allée mal pavée. Un des enfants les plus âgés s'aventura dehors et fixa longuement la dépanneuse qui s'en allait.

Jane essaya de chasser de sa mémoire l'image de cette femme en détresse. Peut-être avait-elle essayé de lui raconter des histoires pour garder la voiture. Du moins elle l'espérait. Mais quel que soit le cas, le travail devait être fait.

Quand elle passa près du groupe d'immeubles où précédemment elle avait cru voir Frank, Jane jeta un coup d'œil en direction de la cour désordonnée, mais ne vit personne qui lui ressemblait. Elle secoua la tête avec un sentiment de confusion.

Frank était assis sur un fauteuil inconfortable et regardait Trask.

— Je commence à m'impatienter, mon patron aussi, ce qui est mauvais signe. Dites-moi maintenant quand je pourrai rencontrer votre chef ?

Trask le dévisagea d'un air morne.

— Pourquoi tant d'impatience ? J'ai besoin de temps. Vous avez commandé beaucoup de marchandises.

— Oui, reprit Moe. Pourquoi vouloir aller si vite ?

— C'est vrai, je suis pressé. Mon patron a un client pour quarante voitures. Vous prétendez les avoir. Alors qu'attendez-vous ? Un marché comme celui-ci ne tiendra pas éternellement. Je suis venu exprès de Los Angeles pour traiter cette affaire et je n'ai toujours pas rencontré votre patron, pas plus que je n'ai vu ces satanées voitures.

Sous l'effet du soupçon, son regard se durcit.

— Mais peut-être m'avez-vous menti et n'avez-vous rien du tout.

Trask traversa la pièce et prit sa posture habituelle à la fenêtre.

— Nous avons les voitures.

— C'est tout de même un peu fort, dit Moe. Si vous êtes aussi puissant que vous le prétendez, pourquoi habitez-vous à Forsythe Arms ? Et quelle preuve avons-nous que vous avez l'argent pour payer les quarante voitures ?

Frank lui adressa un regard méprisant.

— Si j'étais venu dans Bradwood avec une belle voiture et un costume luxueux, m'auriez-vous parlé ? Certes, non.

Puis il se tourna vers Trask.

— Je vous imaginais plus malin.

Sans prêter garde à ce propos, Trask dit nonchalamment :

— Je vous ai vu au parc le week-end dernier. Qui est cette fille ?

Le cœur de Frank s'arrêta de battre un instant.

— Quel rapport avec notre affaire ? C'est juste quelqu'un que j'ai rencontré.

— J'ai seulement été un peu surpris.

Trask continuait de regarder la rue vide. Moe écrasa sa cigarette dans le cendrier.

— C'est une bien belle femme.

Frank ignora sa remarque.

— Ecoutez, Trask. Je ne suis pas ici pour parler de femmes. Revenons à ces voitures. Au moins, montrez-les-moi. Ainsi, je pourrai vous faire confiance.

— Au moment venu, dit Trask. Au moment venu.

Frank se leva en fronçant les sourcils. Les choses ne se déroulaient pas comme il le souhaitait et il ne pouvait comprendre pourquoi. Trask aurait dû s'empresser de le mettre en contact avec le chef du gang. C'était une grosse affaire. Avait-il fait une erreur ? Se méfiaient-ils de lui ? Non, Trask n'avait pas l'air d'un homme qui éprouve une quelconque appréhension. Quant à la nervosité de Moe, elle était chronique. Peut-être, après tout, le retard venait-il du patron lui-même ?

— Votre patron n'aurait-il pas par hasard des problèmes avec la police ?

Moe jeta à Trask un regard apeuré.

— Des problèmes ? Non, non, pas de problème.

Trask quitta son poste d'observation et dévisagea Frank.

— Pourquoi cette question ?

— Parce que si son nom est lié à quelque sombre histoire, mon patron le prendrait fort mal.

Il promena un regard menaçant de l'un à l'autre.

— Si c'est ce dont il s'agit, vous devriez me le dire tout de suite.

Trask se retourna vers la fenêtre.

— Oui, dit-il. Mon patron a quelques difficultés actuellement, mais pas à cause de la police locale.

— C'est un homme puissant, poursuivit Moe,

et ce qui l'intéresse actuellement a bien plus d'importance que cette histoire de voitures.

— Ça suffit !

Trask n'avait pas élevé la voix mais Moe n'insista pas.

Une nouvelle fois, Frank était confronté à une situation difficile. Il espéra fortement qu'il serait ailleurs quand l'inévitable issue adviendrait. Trask était le cerveau, mais Moe était potentiellement plus dangereux.

Il n'y avait plus rien à attendre pour ce jour-là. Aussi Frank se décida-t-il à partir. Il se dirigea à grandes enjambées vers la porte, puis s'arrêta sur le seuil pour dire :

— Rappelez-vous ceci. Pour mon patron, le temps c'est de l'argent. Si vous voulez conclure cette affaire, dites à votre chef qu'il ferait bien de se presser un peu.

Après un dernier regard menaçant, il sortit en claquant la porte derrière lui.

Il ne put supporter de retourner dans son appartement lugubre. Sa voisine avait un bébé qui ne cessait de pleurer. C'était de calme qu'il avait besoin.

Il prit la direction du parc et se gara à proximité, dans l'un des parkings prévus à cet effet. Le cri d'un autre bébé résonna dans sa tête. C'était il y a bien longtemps. Un petit garçon aux cheveux rouges.

Presque furieux, il claqua la portière de sa voiture et marcha à grands pas. De tous ses souvenirs, celui-ci restait le plus douloureux. Au début, c'était à Nora qu'il pensait le plus souvent, à sa voix, à son corps et à tout ce qu'elle avait accompli. Mais ensuite, ce fut la perte de son fils qui lui causa la plus grande peine.

Deux garçons jouaient au ballon non loin de là. Le plus jeune était roux et il devait avoir dix ans. Malgré lui, Frank l'observa un long moment. Andy aurait sûrement eu sa taille maintenant.

La raison lui dicta de partir mais une souffrance profonde l'obligeait à rester.

Le plus jeune garçon laissa échapper le ballon et, d'instinct, Frank s'en saisit. Après une courte hésitation, il le leur relança. Sa gorge se serra tandis qu'ils reprenaient leur jeu.

Il était si absorbé dans ses pensées qu'il ne vit pas Jane s'asseoir sur le banc près de lui.

— Bonsoir, dit-elle joyeusement. Je savais bien que c'était vous. Quand êtes-vous revenu en ville ?

Il arbora un sourire.

— Il n'y a pas très longtemps. Je n'allais d'ailleurs pas tarder à vous appeler.

Elle posa ses coudes sur ses genoux et se prit le menton entre les mains.

— Je n'arrête pas de vous voir. Hier, j'aurais juré vous avoir aperçu dans Bradwood.

— Vraiment ?

— Evidemment, ce n'était pas vous mais la ressemblance était frappante. Même démarche, même chemise écossaise.

— Où était-ce ?

— Dans un groupe d'immeubles sordides après le pont. Je crois que cela s'appelle Forsythe Arms ou quelque chose d'analogue.

Frank se força à sourire.

— Je n'ai jamais entendu ce nom-là.

— Vous avez pourtant dû passer bien des fois devant ces immeubles pour aller rendre visite à vos amis. C'est juste après le pont. Mais des vandales se sont amusés à peindre la pancarte et peut-être n'en connaissez-vous pas le nom.

— Vous devez avoir raison.

Il jeta un œil en direction des deux garçons. Fatigués de jouer au ballon, ils couraient maintenant vers l'étang à canards.

— Et sinon, vous allez bien ? demanda Jane.

Il semblait accablé.

— Avez-vous fait bonne route ?

— Oui. Pas de problème de ce côté-là. J'ai même obtenu un bonus pour avoir amené le chargement à bon port plus tôt que prévu.

— Félicitations. Je ne savais pas que votre travail pouvait bénéficier de ce système de récompenses. Ce doit être stimulant.

Frank se rappela qu'il devait faire attention à ce qu'il lui disait.

— C'est vrai mais, en réalité, les bonus sont rares.

Il posa ses yeux sur son visage et aussitôt se sentit mieux.

— Et vous, comment s'est passée votre semaine ?

— Très bien. Hier, j'ai saisi une nouvelle voiture.

Elle fronça légèrement les sourcils.

— Pourtant, je ne me suis pas sentie très fière.

Elle se redressa et leva la tête vers le ciel.

— Il va pleuvoir ce soir, dit-elle pour changer de sujet.

— Qu'est-ce qui vous fait dire cela ?

— Les nuages. Ils viennent vers nous.

Après une hésitation, reprenant la parole, elle dit d'un ton détaché :

— Voulez-vous dîner avec moi ?

— Rien ne me plairait autant.

Il était sincère. Quand le souvenir d'Andy le hantait, il avait appris à ne jamais rester seul. Par ailleurs, il ne refuserait jamais une occasion de voir Jane, que ce fût raisonnable ou non.

— Chez vous ou chez moi ? demanda-t-elle.

— Chez vous. Je n'ai pas envie d'être dans mon appartement ce soir.

— Quel appartement ? Vous m'aviez dit que vous habitiez une maison.

— Oui, naturellement. C'est une façon de parler.

Il se reprocha sa légèreté. Encore des faux pas de ce genre et tout serait fini.

Jane cependant accepta sa réponse et se leva.

— Je ferai une omelette, annonça-t-elle. Aimez-vous les champignons ?

— Oui. Etes-vous sûre que vous voulez faire la cuisine ? Nous pourrions manger à l'extérieur.

— Non, je n'ai pas souvent l'occasion de cuisiner et j'adore cela.

Elle marcha à ses côtés jusqu'à leurs voitures respectives. La façon dont il était vêtu lui rappela toute l'ambiguïté qu'il se plaisait à entretenir. Du gentleman raffiné qui l'avait invitée au théâtre ou du routier à l'allure négligée, elle ne savait lequel était le vrai Frank.

— Vous savez, dit-elle pensive, je suis étonnée de vous avoir rencontré ici. Vous habitez à Brandenburg. Pourquoi n'étiez-vous pas au parc de Brandenburg plutôt qu'à celui d'Hattersville ? Remarquez, ajouta-t-elle, je n'ai pas à m'en plaindre.

Frank lui adressa un sourire calculé qu'il voulait irrésistible.

— Je comptais les instants qui me séparaient de vous.

— Vraiment? Vous êtes souvent à Hattersville pour quelqu'un qui ne vit pas ici.

Il acquiesça.

— Je m'y sens bien.

Sans bien savoir pourquoi, elle n'était pas convaincue.

— Je suppose que la ville doit vous être agréable. Et la vue du haut des sommets est magnifique, dit-elle.

Elle rougit en songeant à leur promenade au pré de la montagne.

— Mais le paysage est largement aussi beau à Brandenburg, ajouta-t-elle.

— Ce n'est pas le site qui m'attire le plus ici. Vous semblez avoir du mal à le comprendre, Jane.

Le moment était venu de mettre les choses au point.

— Au sujet du pré, je voudrais que vous sachiez que j'ai..., que je...

— Que vous n'êtes pas ce genre de femme? Je le sais déjà.

Elle serra ses mains derrière son dos et regarda l'herbe tandis qu'ils s'approchaient des voitures.

— Ma conduite a été un peu légère.

— Croyez-vous? Bien au contraire, vous étiez merveilleuse.

Jane le regarda abruptement. Il semblait sincère.

— C'était un moment exceptionnel. Je crains qu'il n'y en ait plus comme celui-ci.

— Il ne faut pas anticiper.

Inconsciemment, il avait parlé très bas et sa voix avait pris des intonations plus chaudes.

— Peut-être, soupira-t-elle.

Jane arriva à sa voiture; il lui ouvrit la portière. Lorsqu'elle pénétra à l'intérieur, il se pencha vers elle.

— Jane, n'allons pas trop vite. Une liaison n'est pas nécessairement ce que je souhaite, ni ce dont j'ai besoin.

Elle éprouva une profonde déception et se força à répondre sur un ton naturel.

— Comme vous voulez. Aussi longtemps que nous nous comprendrons...

— Soyons francs l'un envers l'autre. Si l'un de nous veut rompre, qu'il se sente la liberté de le dire.

Elle fronça légèrement les sourcils.

— De toute façon, vous n'avez envers moi ni devoir ni obligation.

Elle mit le moteur en marche et Frank referma sa portière.

En quittant le parc, Jane se demanda pourquoi il refusait de s'engager s'il tenait tant à elle. N'était-elle donc pour lui qu'une aventure? Ce n'était pourtant pas l'impression qu'elle avait eue lorsqu'ils s'étaient aimés dans le pré. Il l'enlaçait si tendrement! A ce moment-là, elle avait même craint qu'il ne s'attache trop à elle. Frank Malone était décidément l'homme le plus déroutant qu'elle ait jamais rencontré.

Chapitre 8

Jane décrocha son téléphone et composa un numéro. Mais son esprit était ailleurs. Du reste, elle avait à peine écouté les informations que Rob lui avait données à propos de la saisie. La nuit précédente, Frank était resté après le dîner pour regarder une émission de télévision. Il avait juste pris sa main entre les siennes et n'avait même pas protesté lorsque, le programme terminé, elle lui avait demandé de partir. Certes, c'était ce qu'elle souhaitait mais, dans son for intérieur, elle aurait préféré qu'il restât. Est-ce que déjà il s'éloignait d'elle ?

Quand, au bout du fil, quelqu'un décrocha et annonça : « Résidence Bronson », Jane ne put réprimer un sursaut. Brusquement, elle se pencha sur ses papiers et demanda :

— Suis-je chez M. Chadwick Bronson ?

— Absolument. A qui désirez-vous parler ?

— Eh bien, à M. Bronson en personne.

— Je suis désolé, madame, mais il est absent aujourd'hui.

— Et sa femme ?

— Elle n'est pas là non plus. Mais peut-être puis-je vous aider ? Je suis Cheeves, le maître d'hôtel.

— Eh bien, savez-vous si M. Bronson possède toujours sa Cadillac gris métallisé ?

— Non, je ne sais pas. Un moment, je vous passe son chauffeur.

Tandis qu'elle attendait, Jane se dit que cet homme était bien rustre. Une voix brusque interrompit ses pensées.

— Ici, Berkins.

Elle décida de s'y prendre autrement.

— Depuis quelques jours, j'essaye de contacter...

Son doigt chercha sur le dossier le prénom de Bronson.

— ... Chad. Je sais qu'il n'est pas là mais peut-être pouvez-vous me dire si sa belle voiture est encore en vente ? Vous savez, la grise ?

— La Cadillac ? A ce que je sache, elle n'a jamais été en vente.

— Vraiment ? Chad ne vous en a même pas parlé ? Je le reconnais bien là.

Jane s'était glissée dans le rôle d'une femme du monde et s'exprimait avec une aisance teintée de sophistication.

— Il m'a dit que je pouvais passer cette semaine pour faire un essai. La voiture est-elle là ?

— Euh... oui, madame. Elle est dans le garage.

La voix était sceptique.

— C'est merveilleux, reprit Jane. J'ai justement un moment de libre. Je passerai d'ici une heure. A tout de suite. Au revoir.

Jane raccrocha avant qu'il ait le temps de répliquer.

— Rob ? cria-t-elle.

Rob passa sa tête à travers la porte entrebâillée.

— Vous m'avez appelé ?

— Pourriez-vous me conduire à Meadow Lark

Lane ? M. Bronson n'est pas là mais il a laissé sa Cadillac dans le garage.

— Pourquoi ne pas vous adresser à Bert ?

— Il est sorti. De toute façon, une dépanneuse n'est pas nécessaire pour traiter cette affaire comme je l'entends. Alors, c'est possible ?

— Oui.

Ils sortirent sur le parking et Jane prit place sur la banquette arrière de la voiture de Rob. Il la regarda avec surprise.

— Pourquoi ne montez-vous pas devant ?

— Eh bien, mon cher Rob, vous allez avoir à jouer le rôle d'un chauffeur. Cela peut vous paraître incongru mais vous devez me faire confiance.

Non sans quelques réticences, Rob prit place au volant. Quand ils furent dans la rue principale, il lui demanda :

— Vous vous portez bien en ce moment ? Parfois, je vous trouve l'air préoccupé. Palmer ne vous facilite pas la tâche, n'est-ce pas ?

— Non, il me traite avec hauteur parce que je suis une femme.

Elle ne prêta aucune attention au sourire de Rob et s'appuya contre le siège avant.

— Rob, puis-je vous demander quelque chose ?

— Bien sûr.

— Imaginez un homme et une femme qui s'aiment, qui s'aiment même beaucoup. Supposons qu'elle ait une certaine appréhension et qu'elle contienne leur liaison dans un cadre amical ; ne croyez-vous pas que l'homme devrait chercher à la convaincre du contraire ? Surtout si elle ne demande qu'à en être persuadée.

Rob secoua la tête.

— Votre histoire est compliquée. De toute façon, si vous avez rencontré quelqu'un et que c'est important pour vous, le mieux est d'oublier Doug et de vous consacrer à lui.

Jane prit un air songeur.

— Il y a aussi autre chose. Il a une manière curieuse de s'habiller.

— C'est-à-dire ?

— Un jour, il a un jean délavé et une chemise effrangée ; le lendemain, il porte des vêtements qui doivent coûter une fortune.

Rob haussa les épaules.

— Et alors ? Il aime la variété, voilà tout.

— Non, ce n'est pas cela. Il y a en lui deux personnages.

Rob se tut pendant quelques instants.

— Est-il marié ?

— Non, bien sûr que non, dit-elle rapidement.

— Comment le savez-vous ?

— Il me l'a dit.

Ses pensées se bousculèrent aussitôt dans son esprit. Pourquoi avait-il deux façons de s'habiller et pourquoi le voyait-elle toujours dans des endroits insolites ? Ses yeux se rétrécirent, en proie au doute. Ne s'était-elle pas engagée dans une bien mauvaise voie ?

— Vous savez, dit-elle lentement, c'est peut-être là que réside le mystère, si mystère il y a.

— Ce n'est pas certain.

Rob revenait à plus de prudence. Il lui jeta un coup d'œil dans le rétroviseur.

— Il est possible qu'il soit simplement fantaisiste dans sa façon de s'habiller.

Jane se rejeta en arrière.

— Je découvrirai la vérité.

— Voulez-vous dire que vous avez l'intention

de le suivre ? C'est le meilleur moyen de le perdre

Jane ne l'écoutait plus. Elle pensait déjà à sa filature. Si elle était assez discrète, Frank ne se rendrait compte de rien. Sans doute était-ce risqué mais elle ne pouvait supporter l'idée qu'il ait peut-être une femme à Brandenburg

Ils tournèrent dans une rue à trois voies, bordée de maisons larges et cossues.

— Faites comme si vous étiez mon chauffeur, ordonna-t-elle. C'est cette maison-là.

— Ecoutez, Jane, je ne voulais pas éveiller le doute dans votre esprit. Sans doute cet homme est-il ce qu'il prétend être.

— Ne vous inquiétez pas. Je serai très prudente.

Elle se pencha sur le côté.

— Regardez, la voiture est dans l'allée.

Elle vérifia que le numéro d'immatriculation correspondait bien à celui qui était mentionné sur ses papiers et le mémorisa.

— Garez-vous à côté et attendez que j'aie les clés avant de partir.

Rob s'arrêta près de la Cadillac gris métallisé et sortit pour ouvrir la porte à Jane comme si cela était pour lui une routine.

— Merci, Rob, dit-elle sèchement.

Un homme assez jeune en uniforme bleu s'approcha d'elle. Elle se pencha sur la carrosserie grise, contempla l'intérieur de la voiture et contrôla même le pare-brise.

— Quelle merveille ! s'écria-t-elle. C'est exactement ce que je cherche.

— Mademoiselle... ? demanda le chauffeur.

— Hanesly Jones, dit-elle avec ostentation.

Derrière la voiture, elle aperçut un garage

aussi grand qu'une maison. Le bâtiment principal ressemblait à un musée. Elle trouva étonnant que quelqu'un qui vive au milieu d'un tel luxe ne paye pas ses traites.

— Je ne suis pas du tout sûr de pouvoir vous la laisser, dit Berkins. M. Bronson ne m'a jamais parlé de cela.

Elle écarta la main d'un geste nonchalant.

— Ce cher Chad! Il a, en ce moment, tant de choses en tête! Mais il me l'a promise et je ne veux pas laisser passer cette chance.

Gêné, Rob fit mine de regarder le ciel.

Jane tendit une main impérieuse avec l'air d'une grande dame qui n'a pas l'habitude d'attendre. D'un geste automatique, Berkins sortit les clés de sa poche. Elle les lui arracha des mains.

— Je n'en aurai pas pour très longtemps. Rob, qu'attendez-vous pour déplacer votre voiture? Vous voyez bien qu'elle gêne.

Rob la salua et retourna dans son auto tandis que Jane mettait le moteur en marche. Après avoir démarré, elle ouvrit sa fenêtre.

— Je ne veux pas vous causer d'ennuis. Si vous le voyez avant que je ne le contacte par téléphone, donnez cette carte à Chad. Dites-lui bien que j'ai insisté.

Elle lui tendit la carte de sa société et démarra en trombe.

Berkins la lut et la relut. Lorsqu'il comprit qu'il avait été berné, la voiture tournait déjà dans une rue adjacente.

De retour à son bureau, Jane savoura sa joie. Cela avait été si facile! En fait, il suffisait de jouer le rôle qui convenait à chaque situation.

Tandis que Frank s'asseyait sur le canapé à côté d'elle, Jane s'exclama :

— Vous ne devinerez jamais où j'ai saisi une voiture aujourd'hui !

Elle laissa passer un silence pour accentuer encore l'effet produit.

— A Meadow Lark Lane, dans le quartier des riches.

— Comment vous y êtes-vous prise ? Suffit-il de taper à la porte et de demander les clés ?

— C'est généralement bien plus compliqué. S'ils savent que vous allez venir, ils font disparaître la voiture avant votre arrivée. Cette fois-ci, j'ai prétendu vouloir l'acheter. Je l'ai embarquée sous prétexte de faire un essai et je l'ai mise dans le parking de Palmer.

— Non seulement cela paraît illégal, mais en plus c'est dangereux. Le propriétaire pourrait vous faire arrêter.

Le souvenir de leur rencontre la fit sourire.

— Comment pourrait-il porter plainte alors qu'il est le premier à s'être mis dans l'illégalité ? Non, dès que la voiture est en ma possession, personne ne peut plus rien faire.

— Mais entre le moment où vous saisissez l'auto et celui où vous la menez à bon port, il peut se passer bien des choses, fit-il observer sèchement.

Elle s'appuya sur le côté et replia ses jambes sous elle.

— Dois-je comprendre que vous vous inquiétez pour moi ?

Frank marqua un silence avant de dire :

— Oui. Je ne voudrais pas qu'il vous arrive malheur.

Ses yeux rencontrèrent les siens et il ajouta :

— Vous avez beaucoup d'importance dans ma vie.

Pendant un court instant, Jane se sentit hypnotisée.

— Vraiment, Frank? Vous ne dites pas cela pour me faire plaisir?

— Non. A chaque fois que je vous vois, je m'attache davantage à vous.

— Il ne faut pas, murmura Jane. Aucun de nous ne souhaite un engagement à long terme, n'est-ce pas?

Frank hésita avant de répondre.

— C'est vrai. Du moins, pour le moment.

Bien que perplexe, elle acquiesça. Son regard se posa sur la main gauche de son compagnon. Il ne portait pas d'alliance, il n'y avait même pas sur son doigt la trace pâle qui aurait pu le trahir. Mais bien sûr, cela n'était pas une preuve absolue. D'un air candide, elle murmura:

— J'aimerais vraiment voir votre appartement. M'y emmènerez-vous un de ces jours?

— Peut-être. Nous verrons.

Sa réponse était bien évasive. Mais plus important encore, il ne l'avait pas corrigée lorsqu'elle avait parlé d'appartement. Jane sentit sa gorge se nouer.

— J'aimerais aussi vous présenter ma grand-mère avant que mes parents ne reviennent en ville. Qu'en pensez-vous?

— C'est une très bonne idée.

— Peut-être pourrais-je aussi rencontrer votre famille?

Elle retint son souffle.

— Bien sûr. Ils sont très occupés actuellement, mais nous pourrons aller les voir d'ici quelques semaines.

Jane soupira devant cette nouvelle dérobade.

— Très bien. Aimeriez-vous rencontrer ma grand-mère demain ?

Elle pensait qu'en hâtant le processus, elle l'amènerait à faire de même de son côté. Du moins elle l'espérait.

— Si vous êtes en ville, nous pourrions y aller demain après-midi.

— D'accord. Ensuite, je serai sur la route pendant plusieurs jours.

Après une pause, Frank se mit à parler du film qu'ils venaient de voir.

Jane répondit à ses questions et y ajouta ses propres commentaires mais son esprit était ailleurs. Pour un célibataire, Frank avait beaucoup de mal à parler de sa vie privée. Elle décida d'utiliser un nouveau stratagème.

— Dans la scène où ils se marient, l'homme semblait très tendu. Croyez-vous qu'à cette occasion les hommes soient aussi émus ?

Elle attendit avec anxiété sa réponse.

— Evidemment. L'église était pleine de monde et prendre un engagement irrévocable, devant témoins, n'est pas chose facile.

— Je vois, répondit-elle.

Frank s'identifiait parfaitement au personnage comme si, lui-même, avait déjà vécu cette scène. Et il avait utilisé le mot irrévocable.

— Eh bien, dit-elle brusquement, ce fut une rude journée. Je n'en peux plus. Nous verrons-nous demain ?

Elle allait se lever quand Frank la retint avec fermeté.

— Doucement. Qu'est-ce qui ne va pas ? Pourquoi voulez-vous me renvoyer tout d'un coup ?

Elle prit subitement conscience qu'elle venait d'abréger la soirée.

— Je voulais seulement dire qu'il se fait tard et que...

— Jane, il n'est même pas vingt et une heures trente. Si vous voulez que je parte, dites-le mais soyez franche avec moi.

C'était bien à lui de lui faire la morale. Elle allait répliquer sèchement mais se contint à temps.

— Je crois qu'il vaut mieux que vous partiez, dit-elle avec un sourire.

Il parut sincèrement perplexe.

— Je ne vous comprends pas. Vous m'invitez à venir chez vous après le film, mais pour une demi-heure seulement. Vous souhaitez rencontrer ma famille et me présenter la vôtre et, presque aussitôt après, vous semblez avoir tout oublié. Qu'est-ce que cela signifie ?

Ses yeux se firent soupçonneux.

— Auriez-vous un autre rendez-vous ?

Jane rougit sous l'affront.

— Bien sûr que non. Je ne me comporte pas de cette façon-là.

Frank allongea son bras sur le dossier du canapé et ne fit pas un geste pour se lever.

— Je ne partirai pas d'ici tant que les choses ne seront pas claires.

Prudemment, elle reprit sa position initiale et croisa les bras en attendant qu'il parle. Allait-il confirmer ses soupçons ? Et dans ce cas, serait-elle assez forte pour rompre avec lui ?

— Le dernier week-end a été merveilleux pour moi, dit-il lentement. Je pensais qu'il en était de même pour vous.

— Oh, oui ! dit-elle de tout son cœur.

— Et je ne parle pas que d'amour physique. Il y avait tellement plus.

La gorge serrée, Jane était incapable de dire quoi que ce soit.

Il effleura son épaule avec précaution, puis caressa son cou.

— Quand je dis que vous comptez beaucoup pour moi, je suis sincère. Vous êtes une femme étrange, si étrange que cela m'effraye ; pourtant je ne suis pas émotif de nature.

Ses doigts se firent plus tendres et Jane sentit qu'elle allait céder. Elle était faible, si faible entre les bras de Frank. De tout son cœur, elle espéra qu'il ne lui dise pas qu'il avait d'autres liens.

Il soupira, retira sa main et parut tout d'un coup triste et fatigué.

— Personnellement, j'ai tout mon temps. Mais si je vous dérange...

Il commençait à se lever. Jane le retint.

— Vous ne me dérangez nullement, dit-elle.

Frank la contempla sans bouger. Qu'essayait-elle de lui dire ?

Sans un mot, Jane mit ses bras autour de son cou et l'attira contre elle. Les yeux clos, elle le serra presque violemment. Il était à elle ! Elle le sentait au fond de son cœur. Le sort, certes, peut jouer parfois de mauvais tours. Mais il était impossible que cet homme, avec qui elle se sentait tant d'affinités, soit marié à une autre femme.

Frank l'enlaça à son tour.

— Souhaitez-vous toujours que je parte ? demanda-t-il.

Elle secoua vigoureusement la tête.

— Restez avec moi, Frank.

Il prit son visage entre ses mains et s'empara de ses lèvres avec une passion à peine contenue. Il gémit de plaisir tandis qu'elle promenait ses doigts dans ses cheveux. Il se sentait si bien ! Pourtant il n'avait pas le droit d'être amoureux. Pas encore.

— Jane, murmura-t-il, si je vous suis indifférent, ne me tourmentez pas.

— Je vous désire, chuchota-t-elle, je vous désire.

Il se redressa et regarda ses yeux sombres, maintenant doux et sensuels. Elle était si belle, si féminine. Elle avait tout ce qu'il cherchait chez une femme. Quand elle le regardait ainsi, tout s'effaçait pour laisser place à un flot d'émotions.

— Je tiens à vous plus que je ne devrais, dit-il, malgré lui.

— Pourquoi, chuchota-t-elle, craignez-vous tant de vous attacher à moi ?

Il répondit d'une voix presque douloureuse :

— Ce n'est pas ce que je voulais dire, Jane. Mais faites-moi confiance, mon amour, et ne me posez pas de questions.

Ces propos réveillèrent la souffrance de Jane. Cependant la tendresse qu'il lui témoigna en atténua quelque peu la portée.

— Il m'a toujours été difficile d'accorder ma confiance, Frank. J'ai trop souffert de l'avoir fait une fois.

Frank tressaillit. Ses yeux parcoururent son visage avec émotion.

— Croyez-moi ; je ne veux que votre bonheur.

— Alors, pourquoi tant d'hésitation ? Que ressentez-vous, exactement, pour moi ?

— Je dirais que je vous suis très attaché mais ce que je ressens est bien plus fort encore.

Une nouvelle fois, il se montrait évasif. Jane en fut affectée et caressa sa joue lisse du bout de ses doigts.

— Frank, vous non plus, ne jouez pas avec moi.

Elle ne lui laissa pas le temps de répondre et pencha son visage vers le sien. La passion et la crainte se partageaient son cœur. La logique lui intimait de procéder avec prudence, mais l'amour se refuse à toute sagesse.

L'amour! le mot, tant redouté, avait à nouveau traversé son esprit. Elle posa sa joue contre celle de Frank et ferma les yeux. Ainsi, il n'y avait aucun doute, elle était à nouveau amoureuse et d'un homme qui était peut-être plus redoutable que Doug.

— Je vais partir, dit Frank.

— Non.

Jane avait pris sa décision.

— Non, s'il vous plaît, restez avec moi.

Quand Frank resserra son étreinte, elle l'enlaça avec plus d'assurance. Au bout de quelques minutes, elle se leva et l'emmena jusqu'à sa chambre.

Chapitre 9

Appuyé sur un coude, Frank regarda silencieusement la jeune femme endormie à ses côtés. Jane était allongée tout près de lui, un bras sous l'oreiller et l'autre accroché à sa taille. Dans son sommeil, elle paraissait fragile et délicate, et son teint cuivré contrastait avec le flot de ses longs cheveux noirs. Ainsi abandonnée, elle avait l'air d'autant plus vulnérable.

Un rayon de soleil vint caresser les rideaux. Jane changea de position sans se réveiller et, ainsi, s'éloigna de lui. Il en profita pour se redresser et consulter sa montre sur la table de nuit.

La nuit précédente, Trask et sa mission n'avaient guère occupé son esprit. Il prit conscience que c'était un tort. Trask avait peut-être essayé de lui téléphoner. S'il avait constaté son absence, il allait se méfier. Prenant soin de ne pas réveiller Jane, Frank sortit du lit et marcha pieds nus sur la moquette épaisse. Il prit son pantalon et l'enfila dans le couloir. Le téléphone était dans la cuisine, il n'y avait aucune chance que Jane l'entendît ; pourtant, en composant le numéro de Trask, Frank ressentit une légère appréhension.

La voix de son interlocuteur résonna au bout du fil.

— Bonjour, chuchota-t-il. C'est Malcolm à

l'appareil. Y a-t-il du nouveau au sujet de notre affaire ?

Jane avait toujours eu le sommeil léger. Lorsqu'elle s'étira, à demi somnolente, elle chercha aussitôt Frank, mais ne rencontra que les draps de coton et, immédiatement, souleva les paupières. Un rapide coup d'œil l'informa qu'elle était seule quand, soudain, elle entendit une voix étouffée dans l'autre pièce. Rapidement, elle se leva et s'approcha de la porte ouverte.

— Je suis libre de circuler comme je veux, disait Frank.

Jane réprima un sursaut. A qui parlait-il donc ?

— Si je n'obtiens pas satisfaction, c'est fini entre nous. Est-ce clair ?

Sa femme ! Il appelait sa femme de la cuisine. Des larmes perlèrent à ses yeux qu'elle essuya aussitôt. La colère l'envahit alors.

Lorsqu'elle entendit Frank raccrocher, elle se précipita dans le lit et s'enfouit sous les couvertures. Quand il fut tout près d'elle, Jane prit l'air de quelqu'un qui vient juste de se réveiller. Avec volupté, elle s'étira longuement, prenant soin de ne pas se découvrir. Son visage détendu ne laissait rien paraître de sa fureur intérieure.

— Quelle heure est-il ? demanda-t-elle langoureusement.

— Presque huit heures.

— Huit heures !

Elle s'assit sur le lit et saisit le réveil.

— J'ai oublié de le remonter.

Elle se leva d'un bond, oubliant qu'elle était nue.

Frank en profita pour admirer son corps mince.

— J'aurais dû vous y faire penser.

Il tendit les bras pour l'enlacer mais elle s'esquiva et se précipita vers sa coiffeuse. Sans perdre sa bonne humeur, il enfila sa chemise et la boutonna.

— Avez-vous bien dormi ? demanda-t-il.

Sans davantage lui prêter attention, Jane courut vers son armoire.

— Excusez-moi, dit-elle, Palmer est très strict sur la ponctualité. Quelques minutes de retard suffisent à le mettre en colère.

C'était, bien sûr, exagéré mais cela lui donnait une bonne excuse pour éloigner Frank sans avoir à tenir des propos qu'elle pourrait regretter. Pour l'instant, certes, elle ne lui trouvait aucune excuse et ses soupçons se trouvaient justifiés. Elle avait besoin de temps pour réfléchir.

Elle enfila la première robe qu'elle trouva, mit ses chaussures et courut vers la salle de bains. Là, elle se brossa rapidement les cheveux et les noua. Ce ne pouvait être que sa femme. Elle essaya de se rappeler précisément ce qu'il avait dit mais la douleur annihilait sa mémoire.

La tête vide, elle retourna dans sa chambre et déposa un rapide baiser sur la joue de Frank.

— N'oubliez pas de refermer la porte en partant.

Il la regarda, médusé. Pourrait-il un jour comprendre cette femme ?

— Entendu, dit-il enfin. Nous verrons-nous ce soir ?

Elle hésita un instant avant de répondre :

— Oui. A huit heures. Au revoir.

La porte claqua et il se retrouva seul.

Sur le chemin de son bureau, Jane tourna et retourna ses pensées dans sa tête. Elle ne voyait que sa femme à qui il ait pu parler ainsi. Il n'y avait aucune autre explication. Qui d'autre aurait-il pu appeler à une heure aussi matinale ? Et la façon dont il parlait ne laissait aucun doute... Elle se gara dans le parking et traversa rapidement le hall de réception sans un mot pour Rob et la secrétaire qui buvaient leur café.

Arrivée à son bureau, elle accrocha son sac au portemanteau et se laissa tomber dans un fauteuil. Une autre chose lui revenait à l'esprit. Au téléphone, elle l'avait trouvé moins raffiné que l'homme qu'elle connaissait. Presque comme s'il était quelqu'un d'autre.

Elle se redressa brusquement pour donner un coup de fil.

— Allô, le bureau de crédit ? Pourriez-vous me passer Marcy, s'il vous plaît ?

Elle fit pivoter son fauteuil en attendant son correspondant.

— Bonjour, Marcy. Jane Vaughn à l'appareil. J'aurais besoin d'un renseignement sur un certain Frank Malone.

Après un silence, elle reprit :

— Il n'est pas sur vos listes ? Mais je pensais que toute personne prenant un crédit était enregistrée chez vous. Oui, je sais que certains payent au comptant. Merci, Marcy. Au revoir.

Un chauffeur de poids lourds pouvait-il se permettre d'avoir autant de disponibilités ? Elle en doutait.

Après qu'elle eut raccroché, elle saisit l'annuaire de Brandenburg. Les Malone étaient nombreux mais aucun n'avait ses initiales. Frank n'était-il pas son vrai prénom ? Elle envisagea de composer tous les numéros, mais qu'arriverait-il si elle tombait sur sa femme ? De plus, il ne fallait pas qu'il sût qu'elle avait essayé de se renseigner sur lui. Dans son for intérieur, elle pensa que cet homme ne méritait pas tant de scrupules. Mais, par ailleurs, elle l'aimait plus que tout. Aussi renonça-t-elle à appeler.

Elle essaya de trouver de bonnes raisons. Peut-être, après tout, venait-il juste d'avoir le téléphone et n'était-il pas encore inscrit sur l'annuaire ? Elle appela les renseignements. Ils avaient bien son numéro mais il était sur la liste rouge.

— Je travaille pour la Société de crédit Palmer, expliqua-t-elle. Si vous pouviez me donner son adresse, cela me rendrait grand service.

— Impossible ! Je regrette.

Déçue, elle raccrocha.

Dans la foulée, elle appela la police et demanda si un mandat d'arrêt avait déjà été déposé contre lui. La réponse fut négative.

Elle se rejeta dans son fauteuil et tapota des doigts sur l'accoudoir. Depuis qu'elle travaillait chez Palmer, elle avait appris à entraîner sa mémoire et elle retrouva très vite le numéro d'immatriculation de la Mercedes. Elle appela aussitôt le bureau d'enregistrement des véhicules.

— Monsieur King ? Jane Vaughn à l'appareil. Je vais bien, merci. Pourriez-vous m'indiquer le nom du propriétaire d'une voiture ?

Elle lui donna le numéro d'immatriculation et patienta. Lorsqu'elle reçut la réponse attendue, elle mima la surprise.

— Frank Malone ? Aucun autre véhicule enregistré sous ce nom ?

C'était une question de routine mais la réponse la surprit.

— Non ? Pas de Chevrolet ?

Elle connaissait de mémoire le numéro minéralogique de la voiture rouge. Lorsque la voix de King résonna à nouveau dans l'appareil, elle resta atterrée.

— Jay Malcolm ? Etes-vous sûr ?

Dans la plus grande confusion, elle le remercia et raccrocha.

King appela la police d'Etat pour l'informer que quelqu'un s'était renseigné sur une voiture enregistrée sous le nom de Jay Malcolm. Il ignorait pourquoi il devait agir ainsi mais il avait reçu des instructions formelles à ce sujet.

Frank changea de jean et aussitôt entra dans la peau de Jay Malcolm. En roulant vers Hattersville, il se rappela qu'une voiture verte avait démarré brusquement alors qu'il quittait l'appartement de Jane. Il lui avait même semblé voir Moe au volant. Dans ce cas, Trask savait où il avait passé la nuit. Si la situation venait à se compliquer, Jane pourrait bien se retrouver en danger.

Par acquis de conscience, il s'arrêta devant une cabine téléphonique et appela la police d'Etat.

— Malone à l'appareil. Avez-vous du nouveau pour moi ?

Au bout du fil une voix grave lui répondit :

— Vous tombez bien. Nous venons juste de recevoir un appel du bureau d'enregistrement des véhicules. Quelqu'un s'intéresse à votre Chevrolet rouge. Il s'agit d'une certaine Vaughn. Jane Vaughn.

— Jane Vaughn ! s'exclama Frank.

— Exactement. Nous avons fait une enquête

sur elle. Son casier judiciaire est vierge, mais on ne sait jamais. De toute façon, il doit y avoir un lien entre elle et le gang. Sinon, pourquoi chercherait-elle à retrouver votre voiture ?

Frank marmonna un juron.

— Non, il ne s'agit pas de cela. Je connais cette personne, il n'y a rien à craindre. Prévenez-moi s'il y a d'autres appels.

Il raccrocha et se dirigea à grandes enjambées vers sa voiture. Où voulait-elle en venir ? Avec son enquête, elle risquait de le compromettre. Il prit place au volant et fit un effort pour se calmer un peu. Pourquoi agissait-elle ainsi ? Il y avait eu ce coup de téléphone, le matin. Etait-elle vraiment endormie ? Il essaya en vain de retrouver les mots qu'elle aurait pu entendre.

Il n'y avait qu'un moyen pour mettre fin à son dépistage : lui rendre visite à son bureau. Lorsqu'il pénétra dans le hall de réception de la Société Palmer, il aperçut Jane derrière une porte vitrée. Elle était au téléphone. Il entra dans la pièce et claqua la porte, puis lui prit l'appareil des mains et raccrocha.

— Qu'est-ce qui vous arrive ? s'écria-t-elle.

— Je crois que nous avons quelques points à clarifier.

Attirée par le bruit, la secrétaire ouvrit la porte, mais Frank la referma immédiatement.

— Que ressentez-vous pour moi ?

— Enfin, allez-vous m'expliquer... Que faites-vous ici ?

— Je suis venu vous parler. Et maintenant que j'ai fermé cette porte, à moins de passer par la fenêtre, vous serez bien obligée de m'écouter.

— Sortez !

— Je vous aime !

121

Elle le regarda, stupéfaite.

— Pardon ?

— Je vous aime. Et vous ? Quels sont vos sentiments ?

Il attendit sa réponse. Maintenant qu'il avait dit ce qu'il avait sur le cœur, il se sentait tendu à l'extrême. Et si elle ne l'aimait pas ?

— Je ne vous répondrai pas. Vous semblez bien nerveux. Que vous arrive-t-il donc ?

— La nuit dernière m'a donné le droit de savoir. M'aimez-vous, oui ou non ?

Il ne fit aucun mouvement pour se rapprocher d'elle mais la regarda simplement de ses grands yeux verts. Du bout de la langue, Jane humecta ses lèvres.

— Oui.

— Redites-le.

Cette fois, c'en était trop !

— Je trouve que vous exagérez. Sortez d'ici et retournez chez votre femme !

— De qui parlez-vous ?

Frank fronça les sourcils.

— Ne jouez pas les innocents avec moi ! hurla-t-elle. Ce matin, au téléphone, j'ai tout entendu.

— Je ne suis pas marié.

— Alors avec qui étiez-vous en conversation ?

Ses yeux exigeaient une réponse.

— Vous vivez avec quelqu'un ! Une maîtresse ? C'est cela, n'est-ce pas ?

— Allez-vous me laisser parler ?

Sa voix s'éteignit dans un murmure rauque.

— J'appelais une société pour laquelle je dois transporter des produits chimiques dangereux, la semaine prochaine. Je leur disais que les conditions de sécurité n'étaient pas respectées et

122

que, s'ils ne les amélioraient pas, je refuserais de prendre le chargement.

Le silence s'établit entre eux. De l'autre côté de la porte, la voix de Rob s'était jointe à celle de la secrétaire et le ton commençait à monter. Frank n'y prêta pas garde.

— C'est vrai ? demanda Jane. Vous n'êtes pas marié ?

— Je l'ai été. Mais ma femme est morte il y a deux ans. Elle a été tuée avec mon fils dans un hold-up.

Jane s'approcha de lui.

— Je suis vraiment désolée, Frank. Je ne savais pas.

— Ce n'est pas grave.

Encore un peu méfiante, elle demanda :

— Mais pourquoi votre voiture rouge est-elle enregistrée sous le nom de Jay Malcolm ?

— Je l'ai achetée à mon beau-frère et je n'ai pas fait les démarches pour l'inscrire à mon nom.

Il détestait lui mentir mais, dans son propre intérêt, il valait mieux qu'elle en sût le moins possible.

— Jane ! hurla Rob. Tout va bien ?

— Oui, cria-t-elle.

Elle se tourna alors vers Frank et chuchota :

— M'aimez-vous vraiment ?

Il acquiesça.

— J'aurais préféré vous le dire par une nuit de clair de lune avec des roses et des bougies.

— Oh, Frank ! C'est sans importance. Je suis si heureuse ! Moi aussi je vous aime.

Il la regarda comme s'il avait peine à la croire.

— Vraiment ? Vous en êtes sûre ?

Sans un mot, elle acquiesça. L'émotion se

lisait dans ses yeux. Il la prit doucement dans ses bras et posa sa joue contre ses cheveux.

— Vous agissez toujours de telle manière que je ne suis jamais sûr de rien.

Des coups résonnèrent sur la porte.

— Ne vous inquiétez pas, Rob, s'exclama Jane. Tout va bien.

Frank la regarda avec ravissement.

— Jamais je ne pourrai attendre jusqu'à ce soir. J'ai si peur que vous changiez d'avis.

— Impossible !

Il lut une certaine anxiété dans ses yeux.

— Ne me faites pas souffrir, lui dit-elle. Je ne supporterai pas de vous perdre.

— N'ayez aucune crainte.

De l'autre côté de la porte, Rob continuait de s'agiter.

— Il n'y a vraiment pas moyen d'être tranquille, dit-elle.

Elle tourna la clé et Rob fit irruption dans la pièce avec la secrétaire sur ses talons.

— Rob, je prends mon après-midi, dit Jane avec le plus grand calme. Je vous présente Frank Malone, l'homme dont je vous ai déjà parlé. Frank, voici Rob Hancock et Flora Edison, notre secrétaire.

Rob fronça les sourcils, puis les regarda tour à tour.

— Vous partez ? Que dira Palmer ?

— Lui-même est absent, il me semble.

Elle saisit son sac et prit la main de Frank.

— Nous allons fêter notre amour. Au revoir. A lundi.

Chapitre 10

Jane avait eu tort. Elle avait jugé Frank sans avoir toutes les données. Mais, aujourd'hui, la magie de leur nuit d'amour l'avait convaincue qu'il l'aimait vraiment.

— Pourquoi ne rendrions-nous pas visite à ma grand-mère, proposa-t-elle après le petit déjeuner. Elle sera ravie de vous rencontrer.

— C'est une bonne idée.

Il lui passa la main dans le cou.

— Jane, je dois vous faire un aveu. Vous êtes merveilleuse.

— Je vous aime tant Frank, dit-elle doucement. Je n'aurais jamais cru que je pouvais être amoureuse à ce point.

Il s'étonna de la facilité avec laquelle elle acceptait qu'ils se voient. Elle ne protestait plus, ne l'interrogeait plus. Elle était consentante. Mais avait-il eu raison de lui avouer son amour à un moment où il ne pouvait se livrer totalement ? Pour réussir sa mission, il avait besoin de jouer le rôle de Jay Malcolm. Or, elle risquait de lui proposer de vivre avec lui. Comment pourrait-il refuser sans lui donner d'explications valables ? Jane avait le don de chasser toute prudence en lui mais il devait s'efforcer de rester circonspect.

— Et si nous partions maintenant, suggéra-t-elle.

— Je n'ai aucune objection.

Une fois dans le parking, chacun d'eux alla d'instinct vers sa voiture.

— Prenons la mienne, proposa Frank.

— D'accord, répondit-elle avec docilité.

Elle s'assit sur le siège avant et le regarda prendre place à ses côtés. Il était beau, il avait du charme : sa grand-mère l'adorerait. Du moins, elle l'espérait. Elle se rappela la présentation de Doug et fronça les sourcils. Sa famille ne l'avait pas apprécié. Pourvu, pensa-t-elle, qu'il en soit autrement avec Frank.

Lorsque la voiture démarra, elle sourit pour cacher son anxiété. Maintenant qu'elle laissait libre cours à son amour, elle le regardait avec des yeux différents. A n'en pas douter, jamais un homme n'avait eu des traits si attachants et une telle allure. A ses côtés, elle se sentait aussi ingénue qu'une collégienne lors de son premier amour.

Frank suivit ses instructions et quitta la rue principale pour s'engouffrer dans une rue ventée qui montait en lacet à flanc de montagne.

— Parlez-moi de votre grand-mère, dit-il avant qu'ils n'arrivent.

— Elle vous appréciera. Du moins je le pense. Elle s'appelle Reiko Vaughn mais préfère qu'on l'appelle par son prénom. C'est son dernier lien avec son pays d'origine. Ralentissez. Vous voyez le poster du maire, M. Sweeney, sur la pelouse ? Eh bien, nous y sommes.

Frank s'arrêta un peu plus loin. Même sans l'affiche, il aurait deviné que c'était la maison de sa grand-mère. Avec son toit en terrasse et sa rangée d'arbres nains le long de l'allée de gravier, elle était la seule de style oriental. En ouvrant la portière à Jane, il se sentit nerveux.

— Elle parle anglais, n'est-ce pas ?

— Evidemment.

Jane éclata de rire pour dissimuler son anxiété. De toute façon, il était trop tard pour reculer. Elle appuya sur la sonnette et marqua un temps d'arrêt. Si elle avait été seule, elle aurait simplement frappé et serait aussitôt entrée. Elle trouvait étrange d'attendre là devant la porte, comme si elle était une étrangère.

Frank se pencha vers elle et demanda :

— Dois-je enlever mes chaussures ?

Elle n'eut pas le loisir de répondre. La porte s'ouvrit.

— Jane ! s'exclama une femme de petite taille. Je ne m'attendais pas à ta visite aujourd'hui.

Elle leva la tête et regarda Frank d'un air intrigué.

Il lui sourit tandis que Jane le présentait. La vieille dame était plus menue que sa petite-fille. Mais les deux femmes se ressemblaient, bien que Jane ait davantage le type occidental.

Pour la saluer, Frank s'inclina à la manière japonaise. Il était déterminé à la séduire. Après une brève hésitation, elle lui retourna son salut. Le premier contact était plutôt bon.

— S'il vous plaît, appelez-moi Reiko, dit la vieille dame.

Puis elle s'esquiva pour les laisser entrer.

Frank se baissa pour retirer ses chaussures mais il vit alors que Jane gardait les siennes et, sous le regard étonné de Reiko, il se redressa pour pénétrer à l'intérieur.

La salle à manger avait un cachet oriental. De très belles sculptures de jade décoraient la cheminée, ainsi qu'une poupée de porcelaine et des brocarts. Les meubles attrayants étaient de couleur douce et le fauteuil de Reiko avait un marchepied.

— Je ne m'attendais pas à une visite, dit-elle d'un ton enjoué. Veuillez excuser l'état de ma maison.

Frank jeta un œil autour de lui et constata que tout était en ordre.

— Votre maison est magnifique.

Reiko l'observa attentivement.

— Jane, va faire le thé pendant que je m'entretiens avec notre invité.

Jane parut anxieuse.

— Tout de suite ?

Frank ne semblait pas très à l'aise et manquait de naturel. Elle craignait de le laisser seul avec sa grand-mère.

— Oui, Jane, s'il te plaît.

Reiko avait parlé avec ce mélange d'autorité et de modestie que sa petite-fille n'avait jamais su imiter. A contrecœur, Jane se dirigea vers la cuisine. Pour l'instant, tout allait bien mais Reiko était souvent imprévisible.

Lorsqu'elle se retrouva seule avec Frank, la vieille dame lui adressa un sourire.

— Etes-vous un ami de Jane ?

— Oui.

Sa réponse lui parut un peu sèche : il était sur ses gardes.

— Comment vous êtes-vous rencontrés ?

Frank hésita.

— D'une certaine façon, par le biais de son travail. C'était il y a quelques semaines.

— Je vois. Vous travaillez aussi pour le compte de la Société Palmer ?

— Non, madame. Je suis... chauffeur de poids lourds.

Il lui était encore plus difficile de mentir à cette dame qu'à sa petite-fille. Pour changer de sujet, il dit :

— J'aime beaucoup ce tapis. Est-il japonais ?

Reiko vivait depuis si longtemps aux Etats-Unis qu'elle oubliait parfois que les inconnus pouvaient encore l'associer au Japon.

— Non, il est chinois. Cette sculpture de jade et cette poupée sont japonaises. Est-ce que Jane et vous êtes de très bons amis ?

Qu'elle parle du tapis ou de sa petite-fille ne changeait en rien le ton de sa voix. Son sourire poli semblait imperturbable.

Frank cligna des yeux.

— Elle compte beaucoup pour moi. Nous sommes très liés.

Le sourire de Reiko s'élargit.

— Savez-vous qu'elle a vu le jour l'année du cheval ?

— Pardon ?

Elle répéta ce qu'elle venait de dire, en ajoutant :

— Toutes les filles nées sous ce signe sont volontaires et obstinées.

Frank cherchait ce qu'il pourrait bien répondre quand, à son grand soulagement, Jane réapparut dans la pièce.

— De quoi parlez-vous ? demanda-t-elle. Que lui disais-tu, Reiko ?

— Votre grand-mère vient de me révéler votre signe zodiacal. Vous m'aviez caché ce détail !

Jane déposa les tasses de thé sur la table.

— Reiko a beaucoup étudié l'astrologie chinoise.

Celle-ci acquiesça longuement, puis se leva de son fauteuil.

— Venez. Je vais vous montrer mon jardin.

Frank adressa à Jane un sourire incertain. Il n'aurait su dire si la vieille dame le tenait en estime.

Ils prirent leurs tasses de thé et suivirent Reiko jusqu'à une porte qui donnait derrière la maison. Frank ne put dissimuler sa surprise.

— C'est un jardin anglais !

— Vous attendiez-vous à voir un jardin japonais ? demanda sèchement Jane.

— A vrai dire...

Reiko éclata de rire.

— Vous m'amusez beaucoup. Je me suis convertie à l'Amérique. J'ai vu des jardins comme celui-ci en vacances à Williamsburg en Virginie. Au retour, j'ai décidé d'en avoir un semblable.

— Mais le style de votre maison est oriental !

— Mon mari l'avait construite ainsi pour que je m'y sente chez moi. Mais ce n'était pas nécessaire.

Ils flânèrent à travers les parterres de marguerites et de roses jusqu'à une girouette entourée d'un tapis d'œillets d'Inde.

Frank comprit combien Jane avait été influencée par cette femme énergique. A l'évidence, elle était le chef de la famille et, de ce fait, ce qu'elle penserait de lui serait de la plus haute importance.

Tandis que Reiko s'éloignait d'eux pour couper une rose fânée, Frank se pencha vers Jane.

— M'a-t-elle adopté ?

— Je ne sais pas.

La vieille dame se retourna vers eux.

— Vivez-vous à Hattersville depuis long-temps, Frank ? Je ne me souviens pas de vous avoir déjà rencontré.

— Il vit à Brandenburg, répondit Jane, avec toute sa famille.

— Et vous dites que vous êtes chauffeur de poids lourds ?

— Il circule partout. La semaine dernière, il était à la Nouvelle-Orléans.

— Ne peux-tu pas le laisser parler ?

— Je possède mon camion depuis deux ans, dit Frank. La semaine prochaine, je livre un chargement dans le Maine.

— Il s'agit de dangereux produits chimiques, ajouta Jane.

Il la regarda et se rappela alors qu'il lui avait raconté quelque chose de ce genre. Il lui devenait pénible de jouer tantôt le rôle de Jay Malcolm, le gangster, et tantôt celui de Frank Malone, le routier.

— Décidément, votre jardin me séduit beau-coup, reprit-il. La girouette est-elle aussi ancienne qu'elle le paraît ?

Reiko lui raconta obligeamment l'histoire de la vieille girouette, puis s'excusa.

— Je crains de ne pas être très hospitalière, mais j'ai promis de descendre en ville cet après-midi. J'appartiens au comité de soutien de M. Sweeney et nous devons envoyer des enve-loppes.

— Peut-on vous déposer quelque part ?

— Non, merci. Je prendrai ma voiture.

Elle lui adressa un sourire.

— Viendrez-vous dîner un soir ?

Il regarda Jane avant d'acquiescer.

— Volontiers.

— Entendu. Nous aurons plus de temps pour discuter et je vous dirai tout ce que vous devez savoir sur notre Jane.

Sur le chemin du retour, Frank exprima son admiration.

— C'est vraiment une grande dame.

— Oui. Dans ma famille, on l'appelle le marteau de velours...

Elle lui jeta un coup d'œil.

— Quand rencontrerai-je vos parents ?

— Bientôt.

Jane se sentit mortifiée par cette réponse évasive mais n'en laissa rien voir.

— Nous avons le reste de l'après-midi. Qu'aimeriez-vous faire ?

Il sourit.

— Pourquoi n'irions-nous pas chez vous ?

— Très bonne idée, dit-elle d'abord.

Elle se ravisa, soudain.

— J'aimerais bien aussi visiter votre appartement.

— Je n'ose vous y emmener. Il est sens dessus dessous. Par ailleurs, le vôtre est plus intime.

Elle s'approcha de lui et posa sa joue contre son épaule. A son tour il l'entoura de ses bras et elle s'abandonna au plaisir d'être aimée.

Une fois dans son appartement, Jane parut moins à l'aise.

— Nous nous connaissons depuis si peu de temps, dit-elle. Etes-vous sûr des sentiments que vous éprouvez pour moi ?

Elle doutait un peu de sa réponse mais se réjouissait de l'entendre à nouveau.

— Absolument.

Il se blottit contre ses cheveux tressés, effleurant la barrette qui les retenait.

— Pourquoi ne les détachez-vous pas plus souvent ?

— Pour travailler, c'est plus pratique.

— Dommage. Ils sont si beaux.

— Je crois que je pourrais changer mes habitudes pour vous.

— J'aimerais que vous le fassiez. Je préfère vos cheveux libres.

Joignant le geste à la parole, il les détacha et enfonça ses mains dans leur masse luxuriante.

— Je vous aime, chuchota-t-elle.

En guise de réponse, il pressa ses lèvres contre les siennes. Aussitôt, il éveilla en elle une foule de sensations. Il glissa ses mains jusqu'à sa gorge qu'il caressa avec volupté. Il lui jeta alors un regard furtif.

Ses lèvres étaient humides et légèrement ouvertes ; ses yeux, rêveurs, brillaient de l'amour qu'elle éprouvait pour lui. Une pensée le traversa. Il devait la préserver jusqu'à ce qu'il soit en mesure de s'engager. A tout moment, il s'attendait à ce qu'elle lui demande de l'épouser. Déjà, il ne pouvait plus s'éloigner d'elle, il avait le plus grand mal à la quitter. Mais il lui fallait être prudent.

Elle le regardait comme si elle voulait fixer à tout jamais ses traits dans sa mémoire.

— Je vous aime, répéta-t-elle.

Comme il était étrange que ces mots qu'elle croyait ne plus jamais pouvoir prononcer lui viennent aussi facilement aux lèvres !

Il saisit à nouveau sa bouche. Intriguée, elle le regarda. Pourquoi ne lui disait-il pas ce qu'elle brûlait d'entendre ? Elle sentit l'anxiété l'envahir lentement et elle s'agrippa à lui.

Frank se baissa et la souleva avec facilité. Elle enfouit sa tête dans l'ouverture de sa chemise. Elle entendait les battements de son cœur. Beaucoup de gens éprouvaient des difficultés à exprimer leurs sentiments. Sans doute Frank était-il de ceux-là.

Il la porta dans sa chambre et la déposa sur le lit. Puis s'asseyant à côté d'elle, il promena ses doigts le long de ses joues lisses.

— Frank, implora Jane. Dites-moi ce que vous ressentez pour moi. J'ai besoin de l'entendre.

— A mes yeux, vous êtes la femme idéale. Non seulement vous êtes belle mais aussi intelligente et de compagnie agréable. Je ne sais jamais ce que vous allez faire d'une minute à l'autre et je vous trouve fascinante. Quand vous me regardez ainsi, vous m'envoûtez.

Ses doigts descendirent jusqu'à sa taille, se glissèrent sous son pull, remontèrent vers sa poitrine.

— Aimez-vous que je vous caresse ainsi ?

— Oui, chuchota-t-elle. Oui.

Il ramena sa main jusqu'à la ceinture de sa jupe qu'il détacha lentement. Jane ne put garder son calme et frissonna voluptueusement, tandis que ses yeux noirs brûlaient de désir pour lui.

— Vous êtes si belle, s'écria-t-il. Votre corps est fait pour l'amour.

Tandis qu'il entrouvrait ses vêtements, il continua de la caresser. Lorsqu'il découvrit ses seins, il s'inclina et, de ses lèvres, en effleura la pointe.

Jane gémit de plaisir. Des ondes de désir la parcoururent. Elle se cambra et posa sur lui des mains fébriles.

Une sensation de chaleur l'envahit. Réceptive, elle sentait son corps s'embraser sous les mille caresses que lui prodiguait son amant.

Submergée de tendresse, Jane entrouvrit sa chemise et caressa à son tour son torse musclé. Tant de force contrôlée la subjugua. Soudain, à bout de résistance, elle le supplia du regard. Il comprit son invite et lentement la dévêtit. Bientôt il fut nu lui aussi.

— Vous êtes très beau, chuchota-t-elle.

Il s'allongea tout contre elle, et prit ses lèvres dans un baiser passionné.

Exaltée par la chaleur de son corps, Jane se serra davantage contre lui. Elle frissonnait sous chacun de ses baisers. Soudain, elle se renversa sur lui. Ses cheveux noirs glissèrent par-dessus ses épaules et formèrent un voile autour de leurs visages.

Lorsqu'il resserra son étreinte, Jane ferma les yeux. Un long râle s'échappa de ses lèvres. Au fur et à mesure que son plaisir grandissait il sentait croître son désir. Son souffle devint saccadé.

Troublée par la violence de ses sensations, elle glissa sur le côté et à son tour Frank vint sur elle. Leurs visages étaient transcendés par la magie de l'amour.

Elle aimait le poids de son corps sur le sien. Bientôt, dans l'ultime élan de leur passion, l'extase les gagna, la joie éclata dans leur corps.

Par un long baiser, elle exprima la plénitude de son bien-être. Il prit alors son visage entre ses mains et se blottit contre son épaule avec un sourire complice.

Ce n'est que bien plus tard qu'elle se rappela qu'il n'avait pas renouvelé l'aveu de son amour.

Chapitre 11

— Avez-vous déjà fait de l'équitation ? demanda Jane.

— Oui. Lorsque j'étais enfant, je montais souvent à cheval.

Ils se garèrent dans le parking du centre hippique et descendirent de voiture. Frank l'interrogea à son tour.

— Et vous ?

— Une ou deux fois, dit-elle d'un air évasif.

Ils se dirigèrent lentement vers les écuries. A l'université, Jane avait refusé de se lier avec certains étudiants en raison de leur cruauté envers les chevaux. Elle croyait fermement que l'attitude d'une personne face à un animal reflétait son comportement général.

Frank s'approcha de l'entrée et chercha de quoi payer dans sa poche. Jane lui retint le bras.

— Non, c'est à mon tour.

Il allait protester mais déjà elle avait déposé l'argent sur la caisse.

— Bonjour, Brenda. Domino est-il libre aujourd'hui ?

— Bonjour, Jane. Oui, il est libre. Vous n'avez qu'à demander à Al de vous le donner.

— Je croyais que vous n'aviez fait de l'équitation qu'une ou deux fois, fit remarquer Frank.

Elle eut un sourire mystérieux puis adressa un

signe à un homme élancé qui sortait un grand cheval noir.

Elle se mit en selle avec aisance et désigna à Frank un bai qu'il monta à son tour.

Ils descendirent la piste qui menait derrière l'écurie et se dirigèrent vers le bas de la montagne. Jane observa son compagnon. Il tenait les rênes de la main gauche et se pencha en avant avec dextérité pour éviter une branche basse. Quand le cheval hennit, il lui parla doucement pour le rassurer et tapota son encolure rouge et brune. Jane sourit. Il aimait bien les animaux et le bai capricieux restait calme à son contact. Elle oscilla pour éviter des broussailles et lança sa monture à flanc de colline.

— Quand pourrai-je rencontrer votre famille ? jeta-t-elle par-dessus son épaule.

Après une pause, Frank donna sa réponse habituelle.

— Bientôt.

— Et pourquoi pas le week-end prochain ?

— Ils ne seront peut-être pas libres.

Frank ne voulait pas la présenter à sa famille avant que sa mission ne s'achève. Il pourrait difficilement éviter des explications... et que dire ?

— Je connais les raisons de votre hésitation.

— Vraiment ?

— C'est évidemment parce que vous n'êtes pas en bons termes avec eux. Mais vous devriez effacer le passé. Peut-être puis-je vous y aider.

Il réprima un sourire. En fait, il avait d'excellentes relations avec sa famille. C'est à peine s'ils avaient eu parfois quelques divergences d'opinion. Mais Jane lui fournissait là une bonne excuse.

— Vous avez le don de lire en moi, n'est-ce pas ?

Elle acquiesça.

— Je n'ai pas grand mérite. Les problèmes familiaux sont fréquents. Mais dans votre cas, je pourrais jouer les médiatrices.

— Vraiment, vous feriez cela, sans même savoir de quoi il s'agit ?

— Oui. Je vous aime et pour vous je me sens capable de tout.

— Vous êtes une grande dame, Jane, dit-il sincèrement. Heureusement, ce ne sera pas nécessaire.

— Alors, nous irons les voir le week-end prochain ?

— Pourquoi tant de hâte ?

— Vous savez, je brûle d'envie de les connaître.

Elle pouvait difficilement lui avouer qu'elle voulait rencontrer ses parents afin d'éclaircir l'aura de mystère qui semblait l'entourer. D'ailleurs, s'il l'aimait vraiment, pourquoi ne voulait-il pas la présenter à sa famille ? Pourquoi cette réserve ? En fait, le différend qu'il avait avec les siens devait être sérieux.

— Je leur demanderai s'ils sont libres le week-end prochain.

Pendant un moment, ils restèrent silencieux et on n'entendit plus que les sabots des chevaux. Un ruisseau traversait la piste, drainant sur son passage quelques feuilles et brindilles. L'air était doux et un rayon de soleil traversa les arbres, déposant devant eux des reflets argentés.

— Serez-vous en ville la semaine prochaine ? demanda Jane. J'aimerais vous inviter à dîner.

— Je dois passer au tribunal mardi prochain.

Elle se sentit soudain gênée.

— Je suis vraiment désolée... Mais je suppose que maintenant vous pouvez comprendre mon erreur.

Il eut un geste désinvolte.

— Que se passera-t-il au tribunal ? reprit-elle.

— Je paierai une amende pour avoir troublé l'ordre public.

Elle prit un air peiné.

— Vous ne m'en voulez pas trop ?

Il secoua la tête en souriant.

Le soleil était déjà haut. Jane ôta son pull-over, découvrant une chemise bleu clair qui mettait en valeur ses cheveux sombres.

— Je suis contente que notre amour naisse au printemps.

Elle pencha la tête pour regarder la voûte des arbres.

— Après le sommeil de l'hiver, la nature revit. Tout bourgeonne et fleurit.

— Vous êtes vous-même comme le printemps : exubérante et pleine de vie.

La tendresse exprimée par sa voix attira l'attention de Jane. Ses yeux étaient doux et un timide sourire éclairait ses lèvres. En cet instant, elle était sûre qu'il l'aimait. Mais pourquoi ne le disait-il pas ? L'autre jour, dans le bureau, ses propos n'avaient-ils pas dépassé ses pensées ?

— Arrêtons-nous dans cette clairière, dit-elle brusquement.

Ils descendirent de cheval et attelèrent leurs montures à un arbre. Jane s'assit sur l'herbe tendre et s'adossa à un rocher tiédi par le soleil. Embarrassé, Frank jeta une brindille dans le courant du ruisseau.

140

— Que se passe-t-il? demanda-t-il, tandis qu'elle restait silencieuse.

— Rien.

Il la regarda avec insistance.

— Pourquoi vous acharner sur ces pâquerettes?

Elle jeta un œil désabusé sur les fleurs décapitées et fronça les sourcils.

— J'ai bien du mal à vous comprendre.

— Pourtant, je crois vous avoir prouvé mes sentiments.

— Certes mais vous avez un comportement étrange.

Jane jeta les pâquerettes dans l'eau et poussa un soupir. Il s'approcha d'elle.

— Racontez-moi. Nous nous étions promis d'être sincères l'un envers l'autre.

— Quelquefois j'ai presque peur de vous. A trop m'attacher, je crains de souffrir à nouveau. Je ne veux pas d'un autre désastre dans ma vie. J'ai eu trop de mal à oublier le premier.

Frank souleva sa tresse et passa son bras autour de son cou.

— Faites-moi confiance, mon amour. Je suis sincère, je vous le jure.

— J'aimerais vous croire, cependant il m'arrive d'avoir des doutes...

Il caressa sa joue et elle se laissa aller contre lui.

— Je n'aime pas les demi-mesures.

— C'est bien là un des traits de caractère qui vous rend très agréable à mes yeux.

Elle tourna la tête pour le regarder. Le bleu de sa chemise assombrissait son regard. Il était de loin le plus bel homme qu'elle ait jamais rencontré. Comment avait-elle pu s'imaginer qu'il l'aimerait un jour ?

Qu'il le lui ait dit ne prouvait rien. Sans aucun doute, il avait pour elle de l'amitié mais son propos avait la légèreté de ceux tenus dans les cocktails. Brusquement, elle s'écarta de lui.

— Partons. Les chevaux sont reposés.

Tandis qu'elle se redressait, il mit sa main sur son épaule et l'obligea à se rasseoir.

— Laissons là les chevaux... Pourquoi ne pas me croire quand je vous dis que je ne veux pas vous faire souffrir ?

Ses traits habituellement détendus accusaient la consternation.

— Essayez d'être honnête, dit-elle.

Elle avait du mal à contenir son dépit.

— Si vous faites allusion à cette voiture enregistrée sous le nom de Jay Malcolm, je me suis déjà expliqué.

Elle fronça les sourcils. Elle avait complètement oublié cette histoire. Pourquoi en reparlait-il maintenant ?

— Il ne s'agit pas de cela, dit-elle sèchement.

Elle s'éloigna de lui et se dirigea vers son cheval.

— Attendez !

Frank se précipita vers elle et lui prit le bras.

D'instinct, Jane pivota et tenta de lui faire une prise d'aïkido. Il anticipa le mouvement de sa hanche et la fit rouler dans l'herbe.

Très pâle, Jane se rassit et le regarda.

Il s'agenouilla à ses côtés.

— Ça va ? Je ne vous ai pas fait mal au moins ?

— Non. Je suis ceinture marron d'aïkido et j'ai appris à tomber sans me blesser.

Il la regarda d'un air goguenard.

— Vous pratiquez l'aïkido ? Vous ne m'aviez jamais dit cela !

— L'occasion ne s'est pas présentée. Mais vous, où avez-vous appris à faire cette prise ?

Il sourit.

— Je suis ceinture noire de judo.

Jane se releva et, refusant son aide, elle se dirigea vers son cheval.

— Hé ! dit-il, attendez une minute.

Il la rejoignit et l'enlaça. D'abord, elle résista un peu, puis elle soupira et tomba dans ses bras.

— Je suis désolé, murmura-t-il. Etes-vous sûre que je ne vous ai pas fait mal ?

Elle acquiesça. Jamais elle ne s'était sentie à la fois si confuse et si exaltée.

Il glissa ses doigts sous son menton et leva son visage vers lui. Ses yeux en disaient plus que de longs discours. Maintenant, il allait l'embrasser et n'était-ce pas ce qu'elle souhaitait de tout son cœur ?

Leurs lèvres se rencontrèrent dans un baiser passionné. Il la serra contre lui avec ardeur.

— Rentrons, chuchota-t-il quand ils se séparèrent.

Elle lui adressa un sourire enjôleur.

— Chez moi, je suppose.

— Vous avez deviné.

Elle reprit son cheval et le lança au galop. Frank la rattrapa aisément, puis obligea le bai à se cabrer, montrant par là ses indéniables talents de cavalier.

— Faisons la course jusqu'au platane, lança Jane par-dessus son épaule.

Les chevaux galopèrent côte à côte sur l'herbe rase, puis lentement celui de Jane prit l'avantage. Arrivée au platane, elle rit de la joie d'avoir gagné.

Frank contrôla sa monture capricieuse et rit avec elle.

— Je suppose que cette victoire va me coûter un dîner.

— Tout juste.

— Puis-je, cependant, réclamer un prix de consolation ?

Il approcha sa monture de la sienne et, se penchant vers elle, lui prit les lèvres.

Le lundi matin, Jane adressa un regard mélancolique à Frank tandis qu'elle se dirigeait vers sa voiture.

— Quel agréable week-end ! Dommage qu'il soit terminé.

— Qu'à cela ne tienne ! Nous nous reverrons le week-end prochain. Je vous trouve curieusement habillée ce matin.

Jane jeta un œil sur son jean usé et sa chemise noire rapiécée. Elle ne portait aucun maquillage et ses cheveux étaient coiffés sans soin.

— Je dois saisir une voiture à Bradwood. Je ne peux pas aller là-bas avec des vêtements élégants. Ce serait prendre des risques inutiles.

Frank fronça les sourcils.

— Votre métier est-il vraiment dangereux ?

— Il m'est arrivé d'être obligée d'appeler la police parce que j'étais poursuivie par un homme.

Elle sourit avec malice.

— Jane, faites attention. Je sais que vous vous croyez invulnérable, mais prenez garde à vous tout de même. D'accord ?

Elle l'embrassa.

144

— Entendu. Se verra-t-on vendredi soir ?

— Et pourquoi pas mardi ? Vendredi, c'est bien loin.

Leurs yeux se rencontrèrent longuement. Puis Jane entra dans sa voiture et démarra.

Tandis qu'elle se dirigeait vers son bureau, elle regarda l'heure et constata qu'il était encore bien tôt. Bert ne devait pas encore être là. Elle décida de faire une petite visite de reconnaissance à Bradwood. Lorsqu'elle franchit la rivière, elle aperçut, quelques voitures en avant, la voyante Chevrolet rouge de Frank. Un sourire attendri flotta sur ses lèvres. Même s'il était peu enclin à lui dire qu'il l'aimait, son comportement ne laissait aucune équivoque à ce sujet. En cet instant, elle était certaine qu'un amour réciproque les unissait.

Au lieu de se diriger sur l'autoroute de Brandenburg, Frank descendit vers la vallée. Elle le suivit. Bien qu'une autre voiture les séparât, elle le vit prendre la route qui menait à la rivière. Sans doute allait-il rendre visite à ses amis.

Jane consulta les papiers de la saisie et les posa sur le siège à côté d'elle.

La Chevrolet traversa le pont et tourna aussitôt, prenant ainsi la direction que Jane devait suivre.

Peut-être, pensa-t-elle, Frank aimerait-il dîner avec elle le soir même. Elle n'avait pas pensé à le lui proposer. Il ralentit et tourna dans le parking de Forsythe Arms. Jane sentit sa curiosité s'éveiller. Que faisait-il là ? Il avait prétendu ne pas connaître ce groupe d'immeubles ! Sans doute y était-il allé depuis l'autre jour.

Il se gara et sortit de sa voiture sans même se retourner. Jane s'arrêta à son tour et courut après lui. D'un pas assuré, il traversa une petite cour puis monta trois marches.

Elle allait l'appeler quand elle le vit mettre une main dans sa poche et en sortir une clé. Il l'introduisit dans la serrure et entra comme s'il était chez lui. Jane s'arrêta net.

Prise d'une soudaine envie de fuir, craignant, maintenant, que Frank ne l'aperçoive, elle allait partir quand elle remarqua que la loge de la concierge était ouverte. Elle frappa à la porte. Une femme, vêtue d'un pantalon gris, s'avança. Un gamin agité s'accrochait à elle.

— Oui ?

— Je cherche Frank Malone. Pourriez-vous m'indiquer son appartement ?

— Etes-vous de la police ?

La femme avait parlé d'un ton neutre. C'était une question de routine.

— Non. Ai-je l'air d'être de la police ?

La gardienne la regarda de la tête aux pieds avec indifférence.

— Il n'y a personne de ce nom ici.

Un éclair traversa l'esprit de Jane.

— Et Jay Malcolm ?

— Oui. Lui, il habite au 212.

Perplexe, elle retourna à sa voiture. L'homme qu'elle connaissait s'appelait-il Frank Malone ou Jay Malcolm ? Et, plus important encore : pourquoi lui avait-il raconté toutes ces histoires ?

Furieuse, elle mit le contact et démarra. Du travail ! Voilà ce dont elle avait besoin pour oublier. Elle réfléchirait plus tard, la tête froide.

Sans décolérer, elle quitta le parking et s'engouffra dans les rues jusqu'à l'adresse qu'elle cherchait. La voiture à saisir était garée, moitié

146

sur l'allée, moitié sur la pelouse, devant une maison défraîchie.

Dans sa fureur, elle avait même oublié d'aller chercher Bert. Pourquoi Frank lui avait-il menti à ce point ? Ce ne pouvait être qu'à cause d'une autre femme. Qu'elle fût son épouse ou sa maîtresse n'avait guère d'importance. Jane ne supporterait pas plus l'une que l'autre.

Elle sortit de sa voiture. Un grand chien s'avança sous le porche sans qu'elle y prêtât attention.

Frank avait dû lui raconter bien d'autres mensonges encore. Lui et ses amis devaient rire pendant des heures de sa naïveté.

Au comble de la fureur, elle traversa la cour, contrôla la plaque d'immatriculation de la voiture et gagna le porche. La porte était ouverte, elle entra sans façon dans une petite pièce encombrée de bouteilles de bière. Des relents d'alcool imprégnaient l'atmosphère. Un homme était avachi sur le sol. Elle se pencha vers lui et lui donna une tape sur le bras.

— Les clés ! dit-elle.

Il la regarda avec des yeux troubles.

— Pardon ?

— Je veux les clés ! Tout de suite !

A moitié ivre, l'homme plongea sa main dans sa poche et lui tendit les clés, puis sombra à nouveau dans sa somnolence.

En ramenant la voiture, Jane imagina Frank entre les bras d'une autre femme et se surprit à pleurer.

Chapitre 12

Jane se préparait lentement pour son rendez-vous. Elle avait fort mal dormi la nuit précédente et n'avait cessé de retourner le même scénario dans sa tête : Frank traversait la cour de Forsythe Arms, il ouvrait la porte de l'un des appartements comme s'il était entré chez lui.

Il n'y avait aucun doute. C'était bien lui qu'elle avait vu à cet endroit la première fois. Et la concierge le connaissait sous le nom de Jay Malcolm.

Jane détourna son regard du miroir. Qui d'autre vivait dans l'appartement ? S'il lui avait menti au sujet de son nom, sans doute l'avait-il trompée aussi à propos de son statut marital. Et dire qu'elle avait éprouvé de la peine lorsqu'il avait prétendu que sa femme et son fils avaient été tués !

Elle était plongée dans ses réflexions lorsque ses yeux se posèrent sur le téléphone. Après une courte hésitation, elle se leva et traversa la pièce. Elle ne voulait plus que Frank lui mentît.

Elle appela les renseignements et obtint de la standardiste le numéro de Jay Malcolm.

Il était donc inscrit ici sur la liste des abonnés. Sous le nom de Frank Malone, il avait aussi un autre numéro à Brandenburg. Comment pouvait-il vivre à deux endroits à la fois ? En tout cas, une chose était sûre : Jay Malcolm n'était certainement pas son beau-frère.

Le bruit de la sonnette la fit sursauter. Il était là ! Rapidement, elle se dirigea vers la porte. En le voyant, son cœur bondit. Il portait une chemise de madras qui moulait parfaitement sa taille mince et son pantalon marin semblait taillé sur mesure. Ses yeux verts étaient brillants du plaisir de la voir et un sourire se dessina sur ses lèvres.

Jane s'efforça de garder une attitude détachée.

— Je ne suis pas tout à fait prête, dit-elle.

— Puis-je entrer malgré tout ?

Sa voix profonde la fit tressaillir. Sans un mot, elle s'écarta pour le laisser passer. Comme il la regardait curieusement, elle lui adressa un sourire.

— Faites comme chez vous. Je n'en ai que pour quelques minutes.

Un violent combat se livrait en elle. Si elle s'était écoutée, elle aurait fui mais toute une part d'elle-même ne rêvait que de tomber dans ses bras et de l'aimer. Hélas ! Serait-il jamais à elle seule ? Dans le doute, elle retourna vers sa chambre, ferma la porte, saisit le téléphone et composa le numéro de Jay Malcolm. Elle n'obtint aucune réponse.

En fronçant les sourcils, elle raccrocha. Ce n'était pas une preuve. Cela signifiait simplement que l'appartement était vide à ce moment-là et non qu'il vécût seul. Jane se sentit perdue. Elle n'avait jamais autant aimé quelqu'un. Une fois de plus, elle devait avoir tort mais elle n'y pouvait rien. Il fallait qu'elle patientât jusqu'au moment où elle saurait la vérité.

Elle se leva et s'habilla d'une superbe robe

blanche. C'était une robe faite pour séduire. Peut-être, sous le charme, Frank se découvrirait-il davantage. Elle prit son sac à reflets argentés, éteignit la lumière et le rejoignit.

— Vous êtes charmante, dit-il en la voyant.

Jane lui adressa son sourire le plus provocant et tourna sur elle-même en quête d'approbation.

— Est-ce trop habillé ? demanda-t-elle. Je n'ai jamais dîné au Pizanno.

— C'est parfait.

Il se leva et posa un baiser sur son épaule. Jane sentit un flot de passion monter en elle. Quel que fût son secret, elle aimait Frank au point d'être prête à tout. Avec un grand effort de volonté, elle se dégagea et décrocha de l'armoire son châle de laine.

— Fait-il frais dehors ?

— Un peu, mais je ne vous laisserai pas prendre froid.

Il prit le châle et le posa sur ses épaules, puis il descendit sa main jusqu'à la frange soyeuse qui laissait deviner sa poitrine et sourit lorsqu'elle trembla.

— Nous dînerons rapidement.

Jane se força à sourire et fit un pas vers la porte.

— Vous pensez toujours à la même chose...

— Vous aussi et je ne m'en plains pas.

— Ce n'est guère raisonnable.

Elle le précéda hors de l'appartement. Quand ils prirent place dans la Mercedes de Frank, Jane dit d'un ton faussement détaché :

— Je n'ai jamais compris pourquoi vous avez tant de véhicules. Il y a cette voiture, la Chevrolet rouge et votre camion. Pourquoi ?

— Le camion, j'en ai besoin pour travailler.

Cette voiture-ci, je la garde pour le plaisir et la Chevrolet, je l'ai achetée à bon marché. C'était une occasion à ne pas laisser passer.

— Depuis quand l'avez-vous ?

— Depuis quelques mois maintenant.

Il démarra et entama la traversée de la ville. Ils se trouvèrent tour à tour plongés dans l'ombre et la lumière.

— L'homme à qui je l'ai achetée avait besoin de s'en débarrasser rapidement.

— Je croyais que c'était votre beau-frère.

Est-ce ce qu'il lui avait dit ? Frank fouilla dans sa mémoire.

— C'est un marchand de voitures, dit-il enfin.

— Je vois.

Jane regarda les montagnes grandir devant eux à mesure qu'ils s'éloignaient d'Hattersville. Au bout d'un moment, elle dit :

— Vous êtes en ville depuis un moment. N'êtes-vous pas pressé de retourner sur la route ? Vous ne gagnez pas d'argent quand vous restez ici.

— C'est vrai. Puisque vous m'en parlez, je dois vous dire que, la semaine prochaine, je vais conduire un chargement de poules à Dallas.

Jane ne put dissimuler son étonnement.

— Des poules à Dallas ? Mais pourquoi diable faites-vous cela ?

Il tenta une plaisanterie.

— Parce que si elles allaient à pied, elles seraient trop fatiguées pour pondre des œufs.

Elle sourit malgré elle. Il ne mentait même pas correctement.

— Je croyais que les marchands de poules avaient leurs propres réseaux de camionneurs. Pourquoi font-ils appel à des indépendants ?

— Les chauffeurs du réseau font grève cette semaine, improvisa-t-il.

— Je n'ai rien entendu de tel aux informations.

— Oh ! Il s'agit d'une petite société.

Jane n'était pas convaincue. Maintenant, elle commençait à se demander s'il était bien routier. Et s'il ne l'était pas, elle ignorait tout de lui !

Les premières lumières de Brandenburg apparurent et ils entamèrent la descente vers la ville. Jane était tendue et anxieuse tandis qu'elle regardait cet homme qui restait un étranger pour elle. Tout n'était-il que mensonge ?

Le Pizanno était un restaurant de luxe situé à l'autre extrémité de la ville. Une chute d'eau naturelle animait sa terrasse. Des bougies dans des globes teintés éclairaient chaque table et une douce musique de fond se mêlait aux murmures de la conversation. Ce cadre donnait une impression d'élégance et de sobriété.

Dès que le maître d'hôtel se fut éloigné, Frank glissa son bras le long de la nappe blanche pour prendre la main de Jane.

— Je suis content que vous soyez ici avec moi. Vous m'avez manqué depuis hier matin.

— Moi aussi, je suis heureuse d'être ici avec vous.

Elle se pencha vers lui et chuchota :

— Ce restaurant doit être terriblement cher.

Frank sourit.

— Ne vous inquiétez pas, je suis ravi qu'il vous plaise.

Il caressa le dos de sa main et entoura son poignet mince.

Ce contact réveilla sa flamme et la contraignit à prendre une profonde inspiration pour retrouver son calme. Il semblait parfaitement à son aise dans ce cadre chic et, une fois de plus, elle se trouvait confrontée à l'énigme qu'il représentait. Sa voix bien modulée lui donnait l'air d'un homme qui a l'habitude de fréquenter ce genre d'endroits.

En revanche, il y avait l'accent qu'elle lui avait entendu au téléphone l'autre fois. Elle retira sa main. Il eut un regard inquisiteur.

— Nos salades arrivent, dit-elle.

Elle chercha sur son visage des réponses à ses questions mais ses traits exprimaient une parfaite franchise.

Tandis qu'ils mangeaient, Frank parla de choses et d'autres, et Jane s'efforça de lui donner la réplique. Pourtant, son esprit était ailleurs, occupé à étudier toutes les possibilités. Aucune ne lui était agréable. Elle était convaincue maintenant que l'homme qu'elle aimait n'était pas ce qu'il prétendait être. En fait, il semblait avoir deux identités différentes. A qui devait-elle se fier ?

A la fin du repas, Frank se rejeta sur son fauteuil et la regarda d'un air railleur.

— Vous avez l'air bien rêveuse.

— Je suis désolée. Je pensais à mon travail. Elle s'efforça de sourire.

— J'ai saisi une autre voiture aujourd'hui. A Bradwood.

Elle le regarda attentivement mais il ne montra aucun signe d'intérêt.

— Vous avez eu des problèmes cette fois-ci ? demanda-t-il, machinalement.

— Non. L'homme ne s'est rendu compte de rien.

— Vraiment ? Si vous me demandiez les clés

de ma voiture, je ne me laisserais sûrement pas faire. Je suppose que les autres réagissent comme moi.

— Mais celui-là était ivre mort, dit-elle en riant. Je suis rentrée chez lui et j'ai réclamé les clés. Il ne m'a même pas posé de questions.

— Dois-je comprendre que vous êtes entrée sans frapper ?

— Il était tellement ivre qu'il n'a rien entendu.

Frank regarda autour de lui et baissa la voix pour ne pas faire de scandale.

— C'est illégal ! Vous pourriez vous faire arrêter pour beaucoup moins que cela. Je vous en prie, Jane, prenez garde à vous.

— Ce n'est pas très illégal.

— Mais ça l'est tout de même. Promettez-moi de ne pas recommencer.

— Parlons d'autre chose, dit-elle sèchement.

Frank la regarda avec circonspection.

— J'aimerais qu'il ne vous arrive rien. Comment puis-je avoir l'esprit à mon travail si je m'inquiète pour vous ?

— Vous vous faites du souci pour moi ? Je ne savais pas.

— Il y a bien des choses que je ne dis pas. Cela ne signifie pas que je n'y pense pas.

— Quoi par exemple ?

Frank soupira et tapota des doigts sur la table. Au bout d'un moment, il dit :

— Il y a une piste de danse dans le bar. Aimeriez-vous danser ?

— Vous changez de sujet. Parlez-moi de ce que vous ne dites pas !

— Un jour, je vous apprendrai tout ce que

vous avez envie de savoir sur moi. Mais pas ce soir.

Elle comprit qu'il était inutile d'insister.

— Vous me le promettez ?

— Oui.

Il se redressa pour prendre sa main.

— Jane, vous comptez plus pour moi que n'importe qui. Je m'attache à vous plus que je ne devrais, du moins pour l'instant, mais je ne peux pas vous expliquer pourquoi. Pas encore.

— En somme, vous me demandez de vous aimer et de vous faire une confiance totale, alors que vous me laissez dans l'incertitude la plus absolue. C'est facile !

Sa voix se brisa. Pour cacher les larmes qui lui montaient aux yeux, elle regarda au loin.

— Eh ! Vous pleurez ? demanda-t-il avec une peine sincère.

— Bien sûr que non !

Elle se détourna.

— Venez danser avec moi, dit-il doucement. Je veux vous tenir dans mes bras.

Elle se laissa conduire dans une pièce voisine emplie d'une musique douce. Les lumières étaient tamisées, mais le plafond recouvert d'une mosaïque en verre, aux multiples couleurs, accrochait leurs reflets... Ils rejoignirent les quelques couples qui dansaient au rythme d'une mélodie langoureuse.

Frank regarda Jane comme pour lui dire quelque chose. Puis ses yeux verts s'assombrirent, il la prit dans ses bras et la serra contre lui.

Il la guida avec grâce. C'était un danseur accompli.

— Dansez-vous souvent ? demanda-t-elle.

Elle le sondait encore et espéra qu'il ne s'en rendrait pas compte.

— Non, pas depuis des années.

— Eh bien, félicitations. Vous avez le rythme dans le sang. Avec qui dansiez-vous ?

Elle redoutait un peu sa réponse.

— Avec ma femme.

Elle allait encore l'interroger mais il prit les devants.

— Jane, ne me posez pas tant de questions.

Une ombre passa sur son visage.

— Je m'appelle Frank Malone, je suis routier et j'adore danser avec vous. Plus important encore, je vous aime. Tout ce que je vous demande est de me croire.

Il l'avait à nouveau répété. Jane en fut éberluée.

— Pourquoi ne me le dites-vous que dans les lieux publics ? demanda-t-elle enfin.

— Cela ne vous plaît pas ?

— Si ! Mais j'aimerais aussi vous l'entendre dire quand nous sommes seuls.

— J'y penserai...

Elle soupira tandis qu'il la serrait plus fort. Le charme conjugué de son corps souple et de son parfum lui firent oublier, un instant, sa réponse évasive. Mais elle ne tarda pas à remarquer :

— Comme il est difficile de vous aimer, Frank !

— Mais non. C'est vous qui vous compliquez la vie !

Sa voix exprimait une légère irritation.

— De toute façon, je ne pourrais pas m'arrêter. Même si je le voulais.

La mélodie s'acheva pour faire place à une autre. Incapables de se séparer, ils dansèrent encore dans une parfaite harmonie. Frank souffrait de ne pas pouvoir lui révéler son secret. Comment pourrait-elle lui faire confiance aveuglément alors qu'elle s'était rendu compte qu'il lui mentait? Il avait appris à déceler dans sa voix l'accent du doute et de l'insinuation. Jane, c'était évident, se méfiait de lui. Son comportement étrange depuis le début de leur relation le prouvait clairement.

Elle blottit sa tête contre son cou. Frank resserra son étreinte. Elle était si fragile, si vulnérable! Il devait la protéger à tout prix. Et ne pas la mettre au courant de ses affaires était, certes, la meilleure protection.

Il frotta sa joue contre ses cheveux. Peut-être valait-il mieux lui faire croire qu'il serait sur la route la semaine suivante. Comme il était dur de s'éloigner d'elle! Mais il ne fallait pas que Trask et Moe les revoient ensemble. Car, si eux aussi venaient à avoir des doutes à son sujet, ils seraient bien capables de s'en prendre à elle. Nul ne savait alors ce qu'il adviendrait!

Quand elle leva ses yeux vers lui, il s'efforça d'oublier le combat qu'il menait en secret...

Jane entra dans le hall de réception de la Société Palmer et salua la secrétaire.

— Bonjour, Flora. Avez-vous reçu des appels pour moi?

Flora agita nerveusement son stylo et jeta un regard inquiet vers le fond du bureau.

— M. Palmer veut vous voir.

Jane acquiesça et se servit une tasse de café. La nervosité affectée de la secrétaire était difficile à supporter dès le matin.

— Merci, Flora. Je passerai le voir dans deux minutes.

Elle entra dans son bureau et accrocha son sac au portemanteau. Puis, en buvant son café, elle consulta les papiers qu'on avait déposés à côté de son téléphone. Un coup d'œil à sa montre lui donna l'assurance qu'elle n'était pas en retard. D'un pas serein, elle traversa le hall et frappa à la porte de Palmer.

Un grognement l'informa qu'elle pouvait entrer.

— Bonjour. Vous désirez me voir ?

— Oui. Asseyez-vous.

Il ne semblait pas de bonne humeur. Elle prit place sur un fauteuil de cuir et croisa les jambes.

— J'ai reçu un appel à votre sujet, dit Palmer sans la regarder. De M. Chadwick Bronson. Ce nom vous dit-il quelque chose ?

— Bien sûr. J'ai saisi sa voiture. Une Cadillac gris métallisé.

— Il prétend que d'une part vous n'avez jamais essayé de récupérer l'argent dû sur la voiture et que d'autre part vous vous en êtes emparée d'une manière, disons, peu orthodoxe.

— Il ment ! J'ai envoyé les deux lettres recommandées d'usage pour le paiement. Il n'a pas donné suite.

— Et pour la saisie, avez-vous suivi la procédure réglementaire ?

Elle fit grincer son fauteuil.

— Plus ou moins.

— Je vous rappelle, mademoiselle Vaughn, que dans ce métier il faut suivre scrupuleusement les règles.

Il éleva la voix.

— Nous ne prenons pas les voitures par effraction.

— Par effraction ! s'écria-t-elle. Je n'ai pas fait cela ! Dans son cas, c'est le chauffeur qui m'a donné les clés.

— Sous de faux prétextes ! Méfiez-vous, mademoiselle Vaughn, vous n'avez pas le droit d'agir ainsi.

Comme d'habitude, la fureur de Palmer éveilla la sienne.

— Monsieur Palmer, mon travail consiste à saisir des voitures. Quelques-unes ont été repérées, grâce à moi, à des centaines de kilomètres d'ici. J'ai fait mes preuves. Comment osez-vous remettre mon travail en question ?

Palmer devint écarlate.

— Dans ce cas précis, vous avez été un peu trop rapide, mademoiselle Vaughn. M. Bronson a envoyé un chèque qui couvre le montant des traites en retard.

— Eh bien, rendez-lui sa voiture !

— J'ai bien peur que ce ne soit pas aussi simple. Figurez-vous qu'elle a été volée.

— Volée !

— Oui ! Et M. Bronson vous en tient pour responsable. Il prétend qu'en sa possession la voiture ne risquait rien.

— C'est ridicule. Ce n'est pas notre faute si quelqu'un a pris sa Cadillac. Et si elle était en sécurité entre ses mains, comment se fait-il que j'aie pu m'en emparer si facilement ?

— Vous mettez le doigt sur le point important. Pouvez-vous répéter ce que vous venez de dire ?

Jane regarda fixement son patron.

— M'accuse-t-il de ce vol ?

160

— Exactement.

Jane prit le temps de réfléchir afin de trouver une réponse imparable.

— Cet homme est stupide. J'ai pris légalement possession de sa voiture et je l'ai enfermée dans le parking de notre société. J'ai exactement suivi notre procédure.

— Oui, dit Palmer. En fait, la voiture n'a pas été volée ici mais alors qu'on la menait chez le grossiste. M. Bronson ne peut rien contre vous.

— Quelle chance ! dit Jane d'un ton sarcastique.

Palmer remit ses papiers en ordre, ses yeux à nouveau se détournèrent de Jane.

— Je voulais seulement vous dire, mademoiselle Vaughn, que ma société tient à s'éviter des ennuis avec les citoyens les plus éminents d'Hattersville.

Il lui adressa un sourire forcé.

— Que ceci vous serve d'avertissement ! Dans tous les cas, vous devez suivre la procédure légale.

Jane se leva pour partir.

— Merci infiniment, monsieur Palmer, dit-elle ironiquement.

Puis elle se dirigea vers la porte.

— Oh ! Tant que vous y êtes, mademoiselle Vaughn, pourriez-vous m'apporter un café ? Avec deux sucres, s'il vous plaît.

Jane poussa un profond soupir avant de se retourner pour lui faire face.

— Monsieur Palmer, je ne suis ni votre femme ni votre mère et encore moins votre domestique. Demandez donc à Rob Hancock de vous l'apporter. J'ai, ici, le même statut que lui.

Elle fit demi-tour et partit. A peine avait-elle

atteint son bureau qu'elle entendit son patron appeler Flora pour son café. Elle se laissa tomber dans son fauteuil. Bien qu'elle aimât son travail, elle ne serait jamais heureuse chez Palmer. Pourtant, c'était la seule société de ce genre à Hattersville. Peut-être serait-elle amenée à se rendre dans une ville plus grande et plus prospère : Brandenburg.

Chapitre 13

— Vraiment, vous ne voulez pas un sandwich ? demanda Moe.

Frank le regarda avec dégoût allonger de la moutarde sur un morceau de pain.

— Non, merci.

Il n'avait aucune confiance dans la nourriture de Trask. A la cuisine, des tasses à café, mêlées à la vaisselle des jours précédents, s'entassaient dans l'évier, tandis que les provisions voisinaient avec les déchets. Aussi se contenta-t-il de prendre une bière dans le réfrigérateur.

Trask mordit à pleines dents dans son sandwich et Moe s'attabla avec lui. Frank s'appuya contre le mur de la cuisine.

— Mon patron commence vraiment à s'impatienter, Trask, dit-il d'une voix coupante. Nous avons besoin de quarante voitures dans les meilleurs délais. Si votre homme ne peut pas nous les livrer, je veux le savoir maintenant.

— Ne vous inquiétez pas. Les derniers véhicules sont arrivés il y a deux jours.

— Alors, qu'attendez-vous ? Où sont-ils ?

— Dans l'entrepôt de Red, dit Moe.

Trask le foudroya du regard.

— Notre patron a encore besoin d'une semaine. La dernière voiture est de la région et on pourrait la reconnaître. Aussi, avant de la

163

déplacer, nous devons d'abord changer les plaques et la repeindre.

— Vous effectuez ce travail dans l'entrepôt, je suppose ?

En dépit de sa curiosité, Frank s'efforçait de garder une voix neutre.

— Evidemment, dit Moe avec fierté. Nous faisons tout nous-mêmes. Moins il y a de gens dans l'affaire, mieux c'est.

Sa main tremblait. Il regarda nerveusement autour de lui comme s'il craignait des oreilles indiscrètes.

— C'est pourquoi nous ne serons jamais pris. Et puis il y a Red.

— Tais-toi, gronda Trask.

Frank fit mine de lire l'étiquette de la bouteille de bière.

— Red est-il le grand patron ?

— Moe parle trop. Le nom de notre chef ne vous regarde pas, dit Trask. Sachez seulement qu'il vous rencontrera la semaine prochaine.

— Non. Je veux également voir les voitures. Si elles sont ici, comme vous le prétendez, alors prouvez-le.

— Me prenez-vous pour un menteur ?

Moe suivait l'échange avec intérêt et ne put réprimer un sourire.

— Je dis seulement que vous cherchez peut-être à gagner du temps.

Trask parut pensif.

— D'accord. Je vais vous les montrer, ces satanées voitures.

— Quand ? Ce soir ?

— Non. Maintenant.

Frank acheva sa bière et jeta sa canette dans la poubelle.

— Quand vous voulez.

Ils quittèrent Bradwood pour s'engager sur la route sinueuse qui montait vers les entrepôts. Frank essayait de contenir son excitation. La journée avait été fructueuse. Non seulement il avait appris que le patron s'appelait Red mais il allait enfin connaître le lieu où les véhicules volés avaient été entreposés. Il inscrivit scrupuleusement dans sa mémoire le trajet parcouru.

Au bout de quelques minutes, Trask se gara à côté d'un bâtiment gris à l'aspect anodin. Plusieurs autres voitures étaient également en stationnement sur le petit parking.

Ils se dirigèrent vers une porte qui portait l'inscription : Entrée interdite au public. Trask frappa un coup sec. Quelques minutes plus tard, la porte fut déverrouillée par un des hommes que Frank avait vus chez Trask, deux semaines auparavant.

Après avoir traversé un petit bureau, ils se retrouvèrent dans l'entrepôt. Frank fut ébloui. Deux rangées de voitures couvraient tout l'espace. Deux hommes dévissaient des plaques d'immatriculation pour les remplacer par d'autres. A l'autre extrémité, on repeignait en bleu pâle une Cadillac gris métallisé.

Frank la désigna du doigt.

— C'est la dernière du lot ?

— Oui. Quand la peinture sera sèche, nous la couvrirons de poussière pour qu'elle paraisse moins neuve. Sur les pneus, on mettra de la boue. Ainsi, personne n'y verra rien.

Moe parlait avec fierté.

— Il y en a pour de l'argent ici.

— A condition que vous ayez un client, lui rappela Frank.

165

Il regarda autour de lui et s'efforça de mémoriser autant de marques et de modèles que possible.

— Je crois que cette affaire sera profitable pour tout le monde, dit Trask.

— Hattersville n'est pas très grand. Ne me dites pas que vous avez pris toutes ces voitures dans la région ?

Moe éclata de rire.

— Bien sûr que non. Celles-ci viennent du Raleigh, celles-là de la Caroline du Nord. En somme, c'est une sorte d'entrepôt sous douane.

— Etes-vous satisfait ? demanda Trask.

— Oui. J'espère que vous ne m'en voulez pas trop mais mon patron commençait à devenir nerveux.

— Je comprends, reprit Trask. Le mien réagirait de la même façon. Heureusement que l'un et l'autre peuvent compter sur des hommes comme vous et moi.

Les deux hommes échangèrent un sourire.

Moe se sentit exclu et Frank remarqua sur son visage une expression mélangée de dépit et de rage. Après avoir jeté un dernier coup d'œil aux voitures, le détective hocha la tête.

— Très bien. Maintenant, je peux vous faire confiance.

Jane avait revêtu un chemisier blanc et un pantalon lilas. Autour de sa taille mince, elle accrocha une ceinture de cuir tressé. Ses cheveux retombaient sur sa nuque, liés par un ruban de la même couleur que son pantalon. Nerveusement, elle se tourna vers Frank en quête d'approbation.

— Suis-je bien ainsi ? Ne vaudrait-il pas mieux que je mette une robe ?

— Vous êtes parfaite. C'est ma famille que nous allons voir, pas le Président des Etats-Unis.

— Je préférerais que ce fût lui ! Que se passera-t-il si je ne leur plais pas ?

— Et pourquoi ne leur plairiez-vous pas ?

Jane se regarda dans le miroir et fronça les sourcils.

— Ne suis-je pas trop maquillée ?

— Mais non. Vous êtes parfaitement naturelle.

— Alors, je devrais peut-être m'apprêter un peu plus ?

Frank lui prit la main.

— Vous êtes très bien ainsi. Allons-y.

Sur le chemin de Brandenburg, Jane resta silencieuse. Enfin, Frank l'autorisait à rencontrer sa famille. C'était bien la preuve qu'il n'était pas marié. Mais pourquoi donc la concierge de Forsythe Arms le connaissait-elle sous le nom de Jay Malcolm ?

— Vous semblez bien calme, fit-il observer. N'avez-vous plus envie de les rencontrer ?

— Si, si. J'ai toujours l'air calme quand je suis tendue.

Ils s'engagèrent dans une allée bordée d'arbres et Frank s'arrêta devant une impressionnante maison de style géorgien. Au bord du sentier, on voyait une fontaine verte, entourée de roses. Une haie, parfaitement taillée, encadrait le large porche. La maison était construite en briques claires. A chacune de ses extrémités s'élevaient de superbes colonnes blanches.

— Est-ce la demeure de vos parents ? s'enquit Jane. On dirait un musée.

167

Elle se rendit compte que sa remarque n'était pas des plus inspirées et ajouta :

— C'est vraiment magnifique.

Ses yeux se promenèrent de la bâtisse à la pelouse.

— Ça alors ! Il y a même une écurie !

Frank sortit et lui ouvrit la portière. Sa mission touchant à sa fin, il avait estimé qu'il pouvait maintenant présenter Jane à ses parents. La veille, il leur avait rendu visite pour les informer qu'il se faisait passer pour un routier auprès d'elle. Mais très bientôt, il pourrait lui avouer la vérité.

Alors qu'ils traversaient le porche, Jane chuchota :

— Vous savez, Frank, je jouerai les médiatrices s'il le faut.

— Et pourquoi donc ?

— Ne m'avez-vous pas dit que vous n'étiez pas dans les meilleurs termes avec vos parents ?

— Oh ! Oui. C'est déjà...

La porte s'ouvrit alors et une femme s'avança à leur rencontre.

— Frank ! Te voilà... et avec Jane, je suppose. Je suis la mère de Frank, vous pouvez m'appeler Camille.

Elle prit Jane dans ses bras, puis l'invita à entrer.

— Herbert ! Viens voir qui est là !

Jane vit arriver un homme grand et mince qui aussitôt l'étreignit avec chaleur.

— Bonjour, Jane. Je suis Herbert, le père de Frank.

Lorsqu'il se rejeta en arrière pour la regarder, elle remarqua combien son fils lui ressemblait.

— Nous avons une bonne surprise pour toi,

dit Camille à l'intention de Frank. Devine qui est à la maison.

— Je ne sais pas.

— Tante Melba ! Elle vient juste d'arriver.

Jane regarda Frank avec étonnement. Sa famille semblait plutôt chaleureuse et il était tout à son aise. Elle sourit pour dissimuler son embarras.

— Votre maison est superbe, madame Malone.

— Merci. Mais, s'il vous plaît, appelez-moi Camille. Nous habitons ici depuis si longtemps que j'oublie parfois l'impression qu'on peut avoir de l'extérieur. Frank a grandi ici, vous savez.

— Non, je l'ignorais. Frank m'a peu parlé de son enfance.

— Je le reconnais bien là, reprit sa mère. Quand il le veut, il peut être aussi muet qu'une carpe.

Camille les regarda tous les deux avec un sourire engageant.

— Je vous dirai tout ce que vous voulez savoir sur lui.

Frank eut une moue expressive à laquelle sa mère ne sembla guère prêter attention.

— Oh ! Mais j'oubliais tante Melba.

Elle les mena jusqu'à une pièce voisine.

— Tante Melba, reconnaissez-vous ce jeune homme ?

Une dame un peu âgée qui ressemblait à Camille se leva.

— Est-ce possible ? Frank ! Viens ici que je t'embrasse.

Frank l'étreignit chaleureusement, puis se tourna vers Jane.

— Tante Melba, voici Jane Vaughn... Jane...
ma grand-tante : Melba Jones.

— La sœur de ma mère, expliqua Camille.
Malheureusement, nous ne nous voyons pas
souvent.

— Non, hélas ! s'exclama la vieille dame. En
fait, la dernière fois, c'était à l'occasion des
funérailles. La pauvre Nora. Elle était si jeune.
Et le petit Andy.

— C'est du passé, lui rappela Frank.

— Mais je l'adorais tant. Sa disparition me
fait encore souffrir.

Jane jeta un coup d'œil à Frank. Il n'avait donc
pas menti à propos de sa femme et de son fils.

Herbert leur désigna les chaises et le divan.

— Asseyez-vous et mettez-vous à l'aise.

Jane prit place sur le divan moelleux et
contempla la pièce. Tout respirait le luxe et le
bien-être. Un très beau tapis pêche et bleu, en
parfaite harmonie avec la tapisserie, couvrait le
plancher de chêne. Au-dessus de la cheminée,
finement sculptée, on pouvait voir un tableau
représentant Camille et Herbert dans leur jeu-
nesse. Des lampes de cuivre ou de cristal embel-
lissaient la table. Comme il était étonnant qu'un
routier ait grandi dans un tel cadre !

Frank allongea son bras et posa sa main sur
son épaule. Elle se sentit immédiatement rassurée.

Tante Melba lui sourit.

— *Como esta usted ?*

Déconcertée, Jane dut chercher dans sa
mémoire quelques bribes d'espagnol qu'elle
avait appris à l'université.

— *Muy buen, gracias.*

170

Tante Melba sembla satisfaite par ce premier contact. Elle se tourna vers Frank.

— Mon Dieu, comme le temps passe vite ! Je te revois encore jouant au base-ball.

— Eh oui ! le temps change et les activités aussi. Actuellement, Jane est sans nul doute ce qui compte le plus pour moi. C'est pourquoi je voulais vous la présenter.

— *Bienvenido*, reprit tante Melba.

— Excusez-moi, mais je ne parle pas très bien espagnol.

Il y eut un silence que Camille s'empressa de combler.

— Herbert, veux-tu nous faire un café ?

— Ah ? fit tante Melba. Le café est un merveilleux breuvage. Je me souviens que Nora nous en servait toujours une tasse avec du gâteau au rhum, sa spécialité.

Camille intervint pour changer de conversation.

— Tante Melba a épousé un colonel de l'Armée de l'air. Elle a voyagé dans le monde entier.

— Nous avons vécu à San Antonio, au Texas, reprit sa tante. C'est là que j'ai appris l'espagnol. *Comprende ?* dit-elle à l'intention de Jane.

— Oui. Cela doit être merveilleux de voyager. J'aimerais me rendre au Mexique et en Europe, j'adorerais tout voir et tout connaître.

— Vous n'êtes jamais allée au Mexique ?

— Jamais. Je suis née à Hattersville et n'en suis pas sortie. Parfois, j'envie Frank. Lui a la chance de circuler comme il veut.

Camille l'interrompit.

— Voici le café. Combien de sucres, Jane ?

Tante Melba regarda Frank.

— Tu voyages beaucoup ? Pourtant, je pensais...

Camille lui coupa la parole.

— Prenez votre café, ma tante. Il est très chaud, faites attention de ne pas vous brûler. Vous rappelez-vous combien Frank enfant adorait votre chocolat chaud ?

Tante Melba se laissa entraîner dans une conversation sur l'enfance de Frank. Et Jane apprit ainsi que l'homme qu'elle aimait avait eu peur des ballons après en avoir reçu un au visage et que son jouet préféré était un ours en peluche.

— Comme c'est agréable, dit-elle, d'entendre ainsi parler de vous. En tout cas, je suis contente qu'il n'y ait plus de malentendu entre vous et votre famille.

Camille et Herbert se regardèrent, déconcertés.

— Quel malentendu ? demandèrent-ils.

Frank s'interposa brusquement.

— Si on allait se promener un peu ? proposa-t-il. En cette saison, il fait si bon.

— Oh ! Excusez-moi, reprit Jane, j'ai été maladroite.

Frank la mena à l'extérieur et ils déambulèrent le long de l'allée fleurie. Un saule pleureur était légèrement agité par la brise ; la nature renaissante avait le charme du printemps.

Jane s'appuya contre un arbre.

— J'aime votre famille, surtout votre mère, et je vous dois des excuses. Je ne vous avais pas cru quand vous m'aviez parlé de votre femme et de votre fils. J'en suis vraiment désolée.

Frank regarda le soleil qui s'infiltrait à travers les branchages.

— Voilà bientôt deux ans maintenant que ce

172

drame s'est produit. Parfois, j'ai l'impression qu'il ne s'agit pas de moi. D'abord, j'ai pleuré Nora. Je ressentais en moi une véritable douleur physique. Maintenant, c'est le souvenir d'Andy qui me fait le plus souffrir. Il me manque tant ! Et tout a été si stupide. Ils ont perdu la vie pour s'être trouvés dans une banque au moment d'un hold-up.

Son regard se perdit à l'horizon. Malgré tout, il s'efforçait de garder une voix ferme. Jane passa son bras autour de sa taille.

— Quel âge avait-il ?

— Huit ans. Il aurait eu dix ans le mois dernier. C'était un très bel enfant.

Frank sourit mais son visage était marqué par la douleur.

— Il avait des cheveux roux, ses yeux étaient bleus comme l'azur.

Il s'arrêta brusquement.

Jane eut un élan vers lui et se serra plus fort contre sa poitrine. Frank l'enlaça en silence. Au bout de quelques minutes, son corps se détendit un peu et il soupira profondément.

— Je ne veux pas gâcher votre journée. Après tout, c'est du passé. Mais tante Melba m'a remis tous ces événements en mémoire.

— Je comprends, Frank. Sincèrement. Et je crois que désormais nous ne devons plus avoir de secrets l'un pour l'autre. Aimer, c'est aussi partager les peines.

Frank la regarda dans les yeux. Elle était d'une telle générosité ! Soudain, il eut envie de tout lui avouer. Il était si difficile de lui mentir et si agréable de se confier à elle.

— Vous êtes formidable, Jane.

Elle lui sourit.

— Je suis contente d'être amoureuse de vous.

— Moi aussi. Nous devrions rentrer maintenant. Etes-vous prête à affronter à nouveau tante Melba ?

— Bien sûr. Votre tante ne m'est pas antipathique.

La vieille dame avait éveillé sa curiosité à propos de Nora et elle avait bien envie d'en savoir plus.

Lorsqu'ils entrèrent, tante Melba s'exclama :

— Ah ! Vous revoilà. Vous commenciez à me manquer. Comment avez-vous trouvé le jardin ?

— Magnifique, dit Jane. Ma grand-mère aussi a une allée avec des fleurs. Peut-être aimeriez-vous la rencontrer un jour ?

Camille hocha la tête.

— Très bonne idée. Herbert regarde un match de base-ball à la télévision. Souhaites-tu le rejoindre, Frank ?

— Non, je vais rester ici.

Il adressa à sa mère un sourire complice. Il ne désirait pas laisser Jane en tête à tête avec sa tante. La vieille dame ignorait tout de son secret et elle risquait de gaffer.

— Je suis bien contente que le printemps soit revenu, dit Jane. L'hiver a été rigoureux cette année.

Tante Melba acquiesça.

— Oui, c'est vrai. J'ai toujours détesté l'hiver. Le printemps est ma saison favorite. Surtout à San Antonio. J'espère avoir l'occasion d'y retourner. Dites-moi, Jane, qu'avez-vous l'intention de faire pour le *cinco de mayo* ?

— Pardon ?

— Le *cinco de mayo,* le jour de l'indépendance du Mexique. Mon accent n'est-il pas correct ?

174

— Je ne sais pas, dit Jane.

Frank comprit, soudain, l'origine du malentendu.

— Jane n'est pas espagnole, tante Melba.

— Vraiment ? Alors, vous êtes italienne, je suppose ?

— Non, je suis d'origine japonaise. Ma grand-mère est une réfugiée de guerre.

— Ah ! Je vois. Malheureusement, je ne parle pas un mot de japonais.

Tante Melba resta songeuse pendant quelques instants, puis elle se tourna vers Frank.

— Je suis étonnée que tu n'ailles pas voir le match à la télévision. Avant, tu ne ratais jamais une occasion pareille.

— Je n'ai plus les mêmes goûts, voilà tout.

En fait, la télévision lui servait, autrefois, de prétexte pour s'écarter de Nora. Son mariage avec elle n'avait pas été aussi réussi qu'on le pensait.

A le voir ainsi songeur, Jane supposa qu'il souffrait encore de la mort de sa femme et ressentit un élan de jalousie.

Camille s'approcha d'elle et lui prit le bras.

— Pourriez-vous rapporter avec moi le plateau à la cuisine ? J'ai de l'arthrite dans les mains.

— Bien sûr.

Jane prit le plateau et suivit la mère de Frank à travers la grande maison.

— Où dois-je le déposer ?

Camille lui désigna l'évier.

— Je voulais vous voir en tête à tête pour vous demander d'excuser tante Melba.

— C'est inutile. Je me rends bien compte

qu'elle n'a pas de mauvaises intentions et, après tout, Frank était marié auparavant.

— Puis-je vous faire une confidence ?

Jane acquiesça.

— Leur couple n'aurait pas duré longtemps. Frank croit que j'ignorais leur différend mais un jour Nora m'a tout raconté. Elle s'imaginait que j'allais prendre son parti contre celui de mon fils. Evidemment, sa mort nous a beaucoup remués et celle d'Andy encore plus. Mais je vous le répète : de toute façon, leur couple était condamné.

Jane la regarda avec un air de doute.

— Vraiment ?

Elle sourit d'un air perplexe et se tut.

Quand elles rejoignirent Frank et tante Melba, Jane n'éprouvait plus la moindre jalousie. Mais, soudain, elle ressentit le besoin irrésistible d'en savoir plus sur la famille.

Elle se tourna vers la vieille dame.

— Parlez-moi de vos voyages. Frank m'a déjà tout dit sur Dallas et la Nouvelle-Orléans. Voyager doit être fascinant.

Tante Melba adressa à Frank un regard plein de curiosité.

— Qu'es-tu allé faire à Dallas et à la Nouvelle-Orléans ? Je croyais que tu préférais les vacances sur la côte.

Sans lui laisser le temps de répondre, Jane répliqua :

— Il ne s'agit pas de vacances. Il est allé là-bas pour livrer des marchandises avec son camion.

— Un camion ? s'écria tante Melba. Mais que me racontez-vous donc là ? Dans notre famille il n'y a que des ingénieurs et des banquiers. Qu'est-ce que c'est que cette histoire de poids lourds ?

176

Jane réussit à garder son calme mais une foule de pensées envahit aussitôt son esprit. Frank l'avait entraînée dehors en un temps record. Elle n'avait même pas eu le temps de manifester son embarras. Et maintenant, que devait penser sa famille ? Sans doute la trouvaient-ils ridicule d'avoir pu croire qu'il était chauffeur de camion. Elle réprima un gémissement. Elle-même se jugeait stupide.

Frank lui jeta un coup d'œil. Elle était un peu pâle. Il se reprochait de l'avoir exposée aux remarques acerbes de sa tante. Sans compter le fait qu'elle savait maintenant qu'il lui avait menti.

— Jane, c'est une vieille dame. Parfois, elle perd un peu la mémoire.

Au moment où il prononçait ses mots, il s'en voulut davantage.

Elle lui répondit, non sans une certaine ironie :

— Voulez-vous toujours me persuader que vous êtes routier ?

— Oui. Je n'ai pas vu tante Melba depuis les funérailles. Elle a oublié ce que je fais.

Moi aussi, pensa Jane.

— Elle ne me semble pas sénile...

— Je n'ai pas dit qu'elle l'était. Mais elle a parfois des trous de mémoire.

— Ah ! Oui. Pourtant, elle se rappelait parfaitement votre enfance. Moi, j'ai trouvé sa mémoire excellente.

Après ce qui venait de se passer, Jane ne croyait même plus à ce que lui avait dit Camille à propos du mariage de Frank. En fait, elle doutait de tout.

Au bout d'un moment, il lui demanda :

— Me croyez-vous ?

Il espérait secrètement qu'elle lui répondrait par la négative. Ainsi, il aurait pu mettre fin à toute cette mascarade. Mais, contrairement à toute logique, elle abonda dans son sens.

— Bien sûr. Pourquoi ne vous croirais-je pas ?

Sa voix ne trahissait rien de ses pensées. En réalité, elle était maintenant réellement convaincue que Frank lui avait menti.

Quand il s'arrêta devant chez elle, Jane posa sa main sur son bras.

— Ne sortez pas, Frank. J'ai terriblement mal à la tête et j'ai besoin de me retrouver seule.

Il y eut un silence.

— D'accord, dit-il finalement. Je vous téléphonerai demain.

Il se pencha vers elle et l'embrassa doucement.

Jane se sentit envahie par la tristesse. Pourquoi ne rencontrait-elle que des hommes qui n'étaient pas dignes de confiance ? Elle sortit avec peine de la voiture. Alors qu'elle introduisait la clé dans la serrure, elle sentit qu'il l'observait.

Après avoir refermé la porte, elle le regarda partir à travers les rideaux du salon. Elle avait l'impression de marcher sur des sables mouvants. Lentement, elle traversa l'appartement et alluma la lumière du couloir. Elle sentait peser sur elle le poids d'une insupportable solitude.

Elle s'allongea sur son lit et regarda le plafond. Elle était amoureuse d'un homme qui avait deux identités. Mais pourquoi donc agissait-il ainsi ? Après avoir rencontré sa famille, elle savait qu'il n'était pas marié. Mais elle savait aussi qu'il n'était pas routier. Et restait encore le mystère de Jay Malcolm et de l'appartement de Forsythe Arms.

Elle se tourna sur le côté et composa un numéro de téléphone. Au bout d'une minute, elle entendit la voix de Frank.

— Oui ? Qui est au bout du fil ?

Sans répondre, elle raccrocha. L'homme qu'elle connaissait sous le nom de Frank Malone n'aurait pas parlé de cette façon. Pourquoi prenait-il cette voix dure et désagréable ? Qu'avait-il à cacher, même à sa famille ? Au bout du compte, il ne semblait y avoir qu'une seule explication : il devait être engagé dans des activités peu recommandables.

Chapitre 14

Frank s'allongea sur le lit inconfortable et fixa le plafond fissuré. Il n'avait pas vu Jane depuis plusieurs jours en raison de sa livraison fictive dans un autre Etat. Elle lui manquait plus qu'il ne l'aurait pensé. La savoir tout près de lui n'arrangeait pas les choses. Il tourna la tête et regarda le téléphone noir posé sur l'annuaire. Il suffirait de composer son numéro pour l'entendre.

Avec un soupir, il se redressa et mit ses chaussures. Une semaine s'était écoulée depuis qu'il avait visité l'entrepôt avec Trask et Moe, et la rencontre avec leur chef n'avait toujours pas eu lieu. Frank chercha les clés de sa voiture. Il devait sortir avant de se laisser gagner par l'amertume.

Il se rendit directement chez Trask qu'il trouva seul, une tasse de café à la main. Il prit place sur le divan à ses côtés.

— Vous êtes bien matinal aujourd'hui.

— Je suis fatigué d'attendre. Vous me demandez de patienter depuis des semaines. Maintenant, je vous donne le choix. Ou vous me faites rencontrer votre patron vendredi ou le contrat est rompu.

Trask leva la tête de sa tasse de café.

— Depuis quand donnez-vous des ultimatums ?

Sa voix était calme mais une sourde colère se lisait dans ses yeux froids.

— J'en ai assez. Je suis dans cette ville depuis si longtemps que je pourrais presque voter aux prochaines élections.

Il vit un sourire fugitif se dessiner sur les lèvres de Trask.

— J'ai l'impression de prendre racine.

— C'est drôle. J'aurais juré que vous vous plaisiez ici.

— Que voulez-vous dire ?

— Je fais allusion à votre amie. Si j'avais une aussi belle compagne, je ne demanderais qu'à rester.

Frank sentit un nœud se former dans sa gorge.

— Je n'attache aucune importance à cette rencontre.

— Vraiment ? Alors pourquoi la voyez-vous si souvent ?

Le détective n'avait pas remarqué que Trask le faisait suivre, sauf la fois où il avait vu la voiture de Moe. Aurait-il manqué de prudence ?

— J'ai effectué une enquête sur elle, reprit Trask. Elle saisit des voitures pour la Société de crédit Palmer.

— Et alors ?

— C'est amusant, non ? Vous venez ici acheter des autos et vous vous liez avec elle. Peut-être essayez-vous de traiter l'affaire avec quelqu'un d'autre que nous.

— C'est ridicule ! J'ai rencontré Jane après qu'elle ait saisi ma voiture par erreur, vous vous souvenez ? Comme je l'ai trouvée belle, je lui ai

182

donné rendez-vous une ou deux fois. Quel mal y
a-t-il à cela ?

Trask ne fit aucun commentaire et Frank se
demanda s'il acceptait son explication. Néan-
moins il changea de sujet. Trop insister éveille-
rait la suspicion.

— Où est Moe ? demanda-t-il enfin. Il est
toujours ici d'habitude.

— Il va arriver d'une minute à l'autre.

Trask acheva son café.

— Et votre patron ? Quand pourrais-je le rencontrer ?

— Comme vous devez vous en douter, il ne
tient pas à se retrouver avec les voitures sur les
bras. Le rendez-vous aura lieu samedi.

— Où ?

— Je vous le dirai le moment venu. Dans
l'immédiat, n'en parlez à personne.

— Pour qui me prenez-vous ? Si vous ne me
faites pas confiance, pourquoi vous croirais-je ?

Trask sourit.

— Vous n'avez pas le choix. Je connais le
patron, pas vous.

Frank lui jeta un regard furieux.

— Si nous établissons un trafic régulier,
aurais-je droit à chaque fois à ce luxe de précautions ? Je ne pourrai pas ajourner systématique-
ment toutes les livraisons. Peut-être votre patron
est-il un peu trop prudent !

— C'est bien pourquoi nous n'avons jamais
été pris et ne le serons jamais.

Trask adopta un ton plus confidentiel.

— En attendant, il serait bon que vous vous
éloigniez un peu de votre amie. Je ne voudrais
pas qu'elle soit impliquée dans cette histoire.

Frank se sentit effrayé à l'idée que Jane pourrait être menacée.

Il se leva pour partir.

— Veillez à ce que rien n'empêche le rendez-vous de samedi. Je n'ai aucun goût pour les surprises et mon patron non plus.

Trask se contenta de sourire.

En sortant, il rencontra Moe dans la cour. Le petit homme le regarda d'un air soupçonneux tandis qu'il lui adressait un grand sourire.

Mais Frank avait d'autres préoccupations que les doutes de Moe. Non seulement Trask savait qu'il voyait souvent Jane, mais en plus il avait enquêté sur elle. Qu'arriverait-il s'il supposait qu'elle était au courant de l'affaire ? Sans aucun doute, Moe était capable de tuer. Il n'y avait donc qu'une chose à faire : ne pas voir Jane jusqu'au samedi.

Jane s'essuya les doigts avec un chiffon et regarda sa voiture, sans enthousiasme. Bientôt, elle ne pourrait plus la réparer et elle devrait se résoudre à en acheter une autre. Mais Palmer ne semblait pas prêt à lui accorder une augmentation ! En soupirant, elle referma le capot. Autour d'elle, tout semblait s'écrouler.

Frank ne l'avait pas appelée depuis plusieurs jours, mais elle savait qu'il était en ville. Plusieurs fois, elle avait composé son numéro et presque toujours elle l'avait eu au bout du fil. La voix qui lui répondait était froide et brutale. C'était la voix de Jay Malcolm. Ils avaient convenu d'un rendez-vous pour le soir, mais viendrait-il ?

Lentement, elle referma sa caisse à outils et la rangea dans le coffre. Il lui manquait et elle en souffrait. Maintenant qu'elle était certaine qu'il n'avait pas d'épouse, elle s'inquiétait pour lui. Dans quelle histoire Frank s'était-il engagé? Et pourquoi?

Elle aurait tant voulu l'aider! D'autant qu'il n'était pas homme à s'engager dans un trafic sans importance. Or, elle avait vu sa vulnérabilité, son côté enfantin et ne pouvait supporter qu'il fût exposé à de grands risques. A aucun moment, elle n'avait vraiment cru qu'il menait de son plein gré une existence malhonnête. Non, il était trop bien. Mais peut-être était-il victime d'un chantage?

Jane rentra dans son appartement, prit une douche et se lava les cheveux. Comment aider Frank? L'amour pouvait théoriquement changer un gangster en honnête homme. Et Jane avait l'intention de sauver à tout prix l'être qu'elle aimait.

Tout d'abord, elle devrait l'inciter à quitter Forsythe Arms pour s'installer chez elle. Ensuite, il lui faudrait trouver du travail. Mais quelles étaient ses compétences? En enfilant son peignoir de bain, elle prit conscience qu'elle ignorait presque tout de lui.

Jane laissa ses cheveux humides retomber librement dans son dos et s'installa sur la véranda pour qu'ils sèchent à la chaleur du soleil.

Plus elle y pensait, plus elle s'enthousiasmait à l'idée de transformer Frank en un homme respectable. Un jour, il la remercierait. Elle espéra seulement qu'il n'avait encore rien fait d'irrémédiable.

Elle promena ses doigts dans ses cheveux qui commençaient à sécher, tout en se disant que

Frank aspirait évidemment à une vie honnête. Sinon, pourquoi se serait-il réconcilié avec ses parents ? Maintenant,elle comprenait mieux qu'ils aient pu avoir un différend.

Lorsque Frank arriva, Jane avait revêtu un chemisier de soie et un pantalon bleu qui semblait taillé sur mesure. Dans ses longs cheveux jouaient des reflets argentés. A l'expression de Frank, elle comprit qu'il approuvait sa tenue.

Elle mit ses bras autour de son cou et l'embrassa affectueusement. Tandis qu'il l'enlaçait, le désir l'envahit et elle se serra contre lui.

— Vous m'avez manqué, Frank, dit-elle.

— Vous aussi, vous m'avez manqué.

Sa voix exprimait la tendresse. Il avait songé à lui téléphoner pour annuler ce rendez-vous mais il en avait été incapable. Pourtant, il ne pouvait courir le risque d'exposer Jane à la folie d'une bande de malfaiteurs. Il avait trop peur de la perdre comme il avait perdu Nora. Aussi avait-il pris le maximum de précautions. D'abord, il s'était assuré qu'il n'était pas suivi. Puis en arrivant chez Jane, au volant de sa Mercedes, il avait fait plusieurs fois le tour du quartier afin de s'assurer qu'aucune voiture suspecte n'y stationnait.

— Allons nous promener ! proposa-t-elle.

— Tout de suite ?

— Oui. Il ne fait pas encore nuit.

Frank jeta un œil en direction de sa chambre. Son accueil avait éveillé en lui d'autres désirs.

— D'accord, dit-il à contrecœur.

Ils marchèrent main dans la main. Des chênes formaient une voûte au-dessus de la rue. Ils rejoignirent une avenue bordée d'érables. A cette heure-ci, elle était calme. La circulation des heures d'affluence semblait très loin. Dans le ciel rose, le soleil immensément rouge s'apprêtait à se coucher derrière les lointaines montagnes.

— J'aime le crépuscule, dit Jane.

— Et moi, c'est vous que j'aime.

Elle s'arrêta pour le regarder.

— Vraiment, Frank ?

— Bien sûr. Comment pouvez-vous en douter ?

Il caressa doucement sa joue, ses yeux exprimaient une indicible tendresse.

— Je vous aime plus que je n'ai jamais aimé personne.

— Je suis si contente, soupira-t-elle. Moi aussi.

Lentement, ils reprirent leur marche. Jane ne douta plus que leurs difficultés seraient bientôt résolues. Un oiseau vola au-dessus des érables. On entendait le chant des grillons dans l'herbe. Soudain, une rangée de réverbères s'alluma, bientôt suivie d'une autre. Le ciel était encore irisé mais l'ombre commençait à gagner les trottoirs.

— Connaissez-vous un lieu aussi beau que celui-ci ?

— Oui, mais d'une manière différente. Un jour, je vous montrerai le crépuscule dans le golfe du Mexique et l'aurore dans les montagnes rocheuses. Nous visiterons chaque région à la saison appropriée. Je veux vous offrir mille et un voyages.

— Vous feriez cela pour moi ?

Jane était émue.

— Je suis si contente de vous avoir rencontré. Sans vous, ma vie serait vide.

Ils entrèrent dans le quartier commerçant.

— Qu'avez-vous fait ces derniers jours ? demanda-t-il. J'ai essayé de vous appeler une bonne douzaine de fois.

— Ce fut une semaine calme. La plupart du temps, j'ai pensé à vous et j'ai souhaité que vous soyez ici.

Elle lui jeta un coup d'œil à la dérobée. Elle lui donnait là l'occasion d'avouer qu'il n'avait pas quitté la ville. Au lieu de quoi, il lui demanda :

— Voulez-vous une glace ?

Elle acquiesça et ils entrèrent dans une petite boutique où elle prit un cône glacé qu'elle se mit à déguster aussitôt.

Ils reprirent leur promenade. Ils étaient maintenant loin de la route et déambulaient le long d'un sentier touristique. Des réverbères éclairaient leur marche. Une grande sérénité se dégageait du paysage.

Jane mena Frank près d'une petite chute d'eau qui tombait d'une falaise rocheuse. Ils s'assirent sur une pierre et contemplèrent l'écume. Des lumières judicieusement placées donnaient à l'eau des nuances argentées.

— Je suis contente qu'on ait construit cette ville près de cet endroit, dit Jane. C'est un de mes lieux de promenade favoris.

— Comme je vous comprends !

En fait, Frank ne cessait de la regarder, indifférent à ce qui l'entourait.

— N'est-ce pas étonnant, reprit-elle, de voir que la nature est inimitable ? Je veux dire que cette petite cascade paraîtrait absurde dans le désert et ridicule à côté des chutes du Niagara.

Frank l'observa curieusement. Il avait l'impression qu'elle voulait exprimer une idée bien précise.

188

— Les gens sont pareils, poursuivit-elle. Par exemple, je ne serais pas à ma place dans une ferme. Je ne pourrais pas non plus vivre dans une grande ville.

— Qui sait ?

Il la dévisageait maintenant avec amusement.

— Non. Je veux tout visiter mais ma vie est ici, dans cette ville moyenne de l'ouest de la Virginie. C'est là que je suis heureuse.

— Brandenburg est bien plus grand. N'aimeriez-vous pas y habiter ?

— Peut-être. Mais même ici, à Hattersville, il faut faire des distinctions. Je ne pourrais pas vivre à Bradwood par exemple. Je m'y sentirais trop déprimée.

— Votre glace est en train de fondre.

Il commençait à voir où elle voulait en venir.

— Si je vivais à Bradwood, je ne penserais qu'à déménager, continua-t-elle.

Une ombre de sourire détendit ses traits.

— Si vous prenez l'exemple de mon appartement...

Il l'interrompit.

— Quand je vous vois ainsi, j'ai justement envie de me précipiter chez vous et de passer le reste de la nuit à vous aimer.

Sa voix vibra profondément en elle. Elle le regarda. Il était très beau et elle l'aimait décidément plus que tout.

— Cela pourrait s'arranger, dit-elle.

Il se leva et lui prit la main. Avant qu'ils ne partent, il lui tendit un penny.

— Faites un vœu.

Elle prit la pièce, la serra bien fort entre ses doigts puis la jeta dans l'eau claire.

— Avez-vous fait un vœu ? demanda-t-il.

Elle soupira.

— Oui, mais cela ne veut pas dire qu'il se réalisera.

Frank sourit et passa son bras autour d'elle pour l'entraîner sur le chemin du retour.

La nuit fraîchissait. Jane s'appuya contre lui, s'abandonnant à la chaleur de son corps. Elle sentit une certaine force émaner de lui et prit conscience d'avoir besoin de sa présence. Jusqu'alors son indépendance primait. Mais là tout avait changé. Elle se sentait rassurée mais en même temps éprouvait aussi le besoin de le protéger.

La nuit était tombée au-dessus des montagnes. Tandis qu'elle frottait sa joue contre le pull de coton de Frank, elle tressaillit de plaisir. Il portait une chaîne en or autour du cou. Jane aimait le regarder. Il avait une élégance naturelle et un rien l'habillait.

Nonchalamment, elle demanda :

— Avez-vous fait des études ?

— Oui, j'ai été à Yale University.

— Yale University ?

Elle ne s'attendait certes pas à apprendre qu'il avait étudié à l'université.

— Dans quelle branche étiez-vous ?

— Le génie civil.

Elle calqua sa marche sur la sienne. Un ingénieur, diplômé de Yale, ne devait avoir aucun problème pour trouver une situation.

— Avez-vous obtenu votre diplôme ?

Il sourit.

— Oui, avec mention.

Puis il ajouta :

— Pensiez-vous que les routiers étaient des illettrés ?

— Non, bien sûr que non. Mais pourquoi ne travaillez-vous pas dans un secteur conforme à votre spécialisation ?

Il resta silencieux pendant si longtemps qu'elle crut qu'il n'allait pas répondre.

— Je me suis découvert une mission que je croyais plus importante, finit-il par dire.

— Conduire des camions ?

Elle eut l'air peu convaincu.

Après un nouveau silence, il reprit :

— J'ai abandonné ma profession après la mort de Nora et Andy.

— Je vois.

Ainsi, sa présence à Bradwood était liée au décès de son épouse et de son fils.

— Quelquefois, dit-il lentement, je me demande si le jeu en vaut la chandelle. J'aimais mon travail d'ingénieur. Peut-être un jour le reprendrai-je.

Jane saisit l'occasion pour l'encourager.

— J'aimerais bien.

Elle mit son bras autour de sa taille et chercha dans sa poche la clé de son appartement. Puis elle la lui tendit et le laissa ouvrir la porte.

Une fois à l'intérieur, il l'étreignit fortement.

— Avez-vous froid ? dit-il voyant qu'elle tremblait.

Elle acquiesça d'un signe de tête.

— Vous êtes peut-être trop habillée ?

Elle rit.

— Voilà une théorie intéressante. Je ne l'avais jamais entendue auparavant.

— C'est vrai. Je vais vous le prouver.

Il déboutonna alors son chemisier et, avec tendresse, promena ses doigts sur sa peau cuivrée.

Jane reprit son souffle. Il entourait sa taille de son bras. Ses caresses étaient tendres et attentives. Il effleura ses seins nus, puis ses mains descendirent jusqu'à son ventre.

Comme elle était belle !

— Vous êtes merveilleuse, Jane, murmura-t-il. Aussi parfaite qu'une œuvre d'art.

Il enfouit ses mains dans ses cheveux et les ramena sur sa gorge.

Jane ferma les yeux. Elle ne pensait plus à rien. A son tour, elle l'enlaça. Ses doigts coururent sur son dos musclé, tant et si bien que Frank enleva son pull et le jeta sur une chaise.

Sans un mot, ils se dirigèrent vers la chambre. Après s'être assis sur le lit, Frank l'attira près de lui. Elle jeta ses bras autour de son cou et se blottit contre sa poitrine. Il devinait, au léger fléchissement de son corps, qu'elle le désirait. Il se pencha sur elle, effleura la pointe de ses seins. Jane rejeta sa tête en arrière, son corps souple se tendit vers lui. Lentement, il acheva de se dévêtir, tandis que le visage de Jane trahissait les feux du désir. Il la caressa. Sa peau était douce.

Peu à peu, ses mains se déplacèrent le long de ses hanches pour glisser jusqu'à ses cuisses. Haletante, elle frémit de tout son être. Il vit ses yeux s'assombrir, puis briller, soudain, comme sous un grand soleil d'été. Oui, un feu brûlait dans son regard tandis qu'elle retirait son pantalon bleu.

Bientôt, elle se mit à trembler ; il l'allongea alors sur le lit et s'étendit à ses côtés. Ses yeux cherchèrent une nouvelle fois son regard.

— Vous prétendiez que je ne vous déclarais mon amour que dans les lieux publics, chuchota-t-il. Alors laissez-moi vous le dire maintenant. Je vous aime, Jane. Je vous aime autant qu'on peut aimer. Quand vous n'êtes pas avec moi, j'en souffre. Je voudrais ne plus vous quitter. J'aime votre rire, votre souffle et votre façon de gémir quand je vous caresse.

Ses doigts se posèrent à nouveau sur son corps et elle frissonna.

— Et ce n'est que le début de notre amour.

Il passa son bras autour de ses épaules. Jane s'accrocha à lui, il l'étreignit avec passion. Frémissante, elle répondit à son appel et il se soumit à son rythme. Elle était tendre et chaude, et quand elle se renversa sur lui il laissa libre cours à son désir ardent. Ses cheveux noirs tombèrent épars sur sa poitrine.

Il caressa de ses lèvres la courbe pleine et douce de ses seins. Jane ferma les yeux. La joie l'envahit. Il s'abandonna avec elle à ce délire inexprimable...

Bien plus tard, alors qu'ils étaient apaisés, Jane se laissa aller doucement dans les bras de son amant. Ses yeux se perdirent dans les siens et y lurent tout l'amour dont elle avait toujours rêvé.

— Frank, chuchota-t-elle, viendrez-vous vivre avec moi ?

— Non, pas encore.

Elle ne put dissimuler sa déception.

— C'est vous qui allez vivre avec moi. Je veux que vous soyez ma femme. Voulez-vous m'épouser, Jane ?

D'abord interdite, elle le regarda longuement puis acquiesça.

— Oui. Oui, je vous épouserai. Je vous aime tant !

Avec Frank, elle pourrait vivre n'importe où, même à Bradwood.

— Je suis sûr que vous aimerez Brandenburg, dit-il. Mais auparavant, nous aurons une longue lune de miel.

— Brandenburg ?

— Oui. C'est là que je vis.

Ses doigts de nouveau caressèrent sa gorge.

Jane ne comprenait plus rien. Elle se rejeta en arrière, attendant qu'il parle.

— Il faut me faire confiance, reprit-il.

Décontenancée, elle soupira.

Chapitre 15

La nuit les enveloppa. Plongés dans une douce félicité, ils continuèrent à bavarder. Frank caressait distraitement les cheveux de Jane. Elle était si précieuse ! Il devait la protéger à tout prix : pour cela, il avait un plan. Et c'était le moment de le mettre à exécution.

— Jane, chuchota-t-il. Etes-vous réveillée ?

Elle acquiesça et lui sourit. Les yeux ainsi fermés, elle était adorable.

— Je vous aime, soupira-t-elle.

— Moi aussi, je vous aime. Quand partons-nous en vacances ? Dès demain ?

— Oh ! Oui, dit-elle comme dans un rêve. New York, Paris, Rome.

— Je pensais plutôt aux plages de Virginie.

— C'est aussi une bonne idée. Malheureusement, je dois travailler demain.

— Quittez votre travail.

Elle ouvrit les yeux en riant.

— Soyez sérieux. Je ne peux pas quitter mon travail. De quoi vivrais-je ?

— Vous avez promis de m'épouser, vous vous souvenez ? Je peux d'ores et déjà prendre soin de vous.

Elle secoua la tête et se redressa brusquement.

— Je n'ai pas besoin qu'on s'occupe de moi. Jusqu'à présent, vous ne m'aviez jamais demandé de quitter la société. Que voulez-vous que je fasse ? Je ne vais pas passer mes journées à flâner. Un conseil : oubliez cette idée. J'aime mon travail et je n'ai pas l'intention de l'abandonner.

Elle s'assit et maintint le drap sur elle.

— Je ne peux pas croire que vous ayez de telles idées, Frank. J'en suis consternée.

— Calmez-vous, Jane, et écoutez-moi. Pourquoi vous emportez-vous toujours ainsi sans me laisser le temps de m'expliquer ?

Elle le regarda avec suspicion.

— D'accord. Expliquez-vous.

— Puisque nous allons vivre à Brandenburg, je pensais que vous songiez à trouver une situation là-bas. En attendant, je vous proposais un voyage prénuptial. C'est tout.

— Vraiment ? Je ne voudrais pas que vous vous imaginiez que vous allez me prendre en charge.

— Croyez-moi, c'est bien la dernière chose à laquelle j'aurais pensé. Alors, c'est d'accord ? En cette saison, il n'y aura pas trop de monde et vous pourrez faire de longues promenades solitaires sur la plage.

Elle se mit à rire de bon cœur.

— Mais je n'en ai pas envie. Nous resterons ensemble.

— Je vous rejoindrai dimanche prochain.

Elle serra le drap contre elle.

— Vous voudriez que je parte seule ? Quelle drôle d'idée !

— Je dois transporter des tuyaux à Baltimore cette semaine. Dès mon retour, je vous rejoindrai.

Elle ne put retenir sa fureur.

196

— Je vois. Vous voulez m'obliger à quitter la ville. Pourquoi ?

Frank prit un air outragé.

— Qu'allez-vous chercher là ? Je veux vous offrir des vacances, c'est tout. Depuis le temps que vous me parlez de voyage, je pensais que cela vous ferait plaisir. Et puisque vous prétendez être indépendante, je croyais que quelques jours de solitude vous seraient agréables.

— Vous vous moquez de moi, cria-t-elle, soudain. Vous n'êtes pas un routier !

— Enfin, pourquoi ? Selon vous, comment je gagne ma vie ?

— Je ne sais pas !

Frank se redressa à son tour ; ils se défièrent du regard. Cette fois-ci, Jane ne semblait pas décidée à se laisser raconter des histoires.

— Pourquoi voulez-vous que je quitte la ville ?

— Je ne peux pas vous le dire. Ne pourriez-vous donc pas m'accorder votre confiance ? Juste une fois ?

— Non. Ce que vous me proposez là est trop bizarre pour être accepté sans explication.

— Jane, je ne vous ai rien demandé jusqu'à présent mais cette fois-ci, je vous en prie, obéissez-moi.

— Est-ce ainsi que vous concevez notre couple ? Ainsi je devrais me ranger à votre avis ? Et bientôt, je suppose, vous me demanderez de changer de travail.

— Parfaitement. Votre métier est bien trop dangereux.

— Pas autant que vous le prétendez. En fait, vous vous sentez menacé parce que je me bats dans un monde d'hommes.

Elle sortit du lit, oubliant allègrement qu'elle

était nue. Puis, en pointant un doigt vers lui, elle dit :

— Nous, femmes, en avons assez de votre prétendue supériorité.

— Calmez-vous, Jane. J'ai seulement peur qu'il vous arrive malheur.

A son tour, il sortit du lit et se dirigea vers elle.

— N'approchez pas !

Il soupira.

— Pourquoi ne me croyez-vous pas ?

— Parce que je vous aime.

Il la regarda longuement dans les yeux. Finalement, il dit :

— Jane, j'ai décidé de redevenir ingénieur. J'y pense sérieusement depuis quelque temps. Mais pour cette semaine encore, je vous demande de coopérer avec moi. D'accord ?

— D'accord. Je partirai sur la côte pendant que vous serez à Baltimore, dit-elle ironiquement.

Il n'y avait décidément rien à faire. Frank s'avoua vaincu. Il devrait trouver un autre moyen pour la protéger.

Jane composa un numéro. Fébrilement, elle agitait un stylo entre ses mains en attendant que son interlocuteur décroche. Depuis deux jours, elle s'inquiétait pour Frank. Il n'avait pas donné signe de vie depuis la nuit qu'il avait passée chez elle. Pourtant, elle le savait en ville. L'histoire dans laquelle il était impliqué devait s'achever la semaine suivante. Cette situation ne faisait que l'inquiéter davantage.

Une femme répondit au téléphone et Jane se concentra à nouveau sur l'affaire qu'elle avait à traiter.

— Madame Harris ?

— Oui ?

La voix était méfiante.

— Je cherche à joindre James Harris. Est-il là ?

— Non, il est en déplacement.

La voix devint franchement agressive.

— Pourriez-vous me dire où je pourrais le trouver ? C'est très important.

— Je veux bien le croire. Vous êtes la troisième personne qui l'ait appelé ce mois-ci.

La femme se montra alors tout à fait hostile.

— Il est à Forsythe Arms, appartement 223. Allez-y donc et je vous souhaite bien du plaisir.

Elle raccrocha sèchement.

Jane jeta l'adresse sur une feuille de papier. Les épouses trompées étaient toujours prêtes à donner des informations qui desservent leurs conjoints. Forsythe Arms ! Jane n'avait aucune envie d'y aller.

Elle traversa le couloir, frappa à la porte du bureau de Rob et entra.

— Etes-vous occupé ?

— J'irais même jusqu'à dire que je suis débordé. Mon téléphone a sonné toute la journée et ma femme vient d'appeler pour m'informer que Billy s'est cassé le bras. Elle l'a accompagné à l'hôpital et je vais le rejoindre.

Son visage habituellement placide était tendu.

— J'ai plus de travail que je ne peux en fournir et Palmer me harcèle.

Jane tendit la main.

— Donnez-moi un ou deux dossiers. J'ai un peu de temps. Et vous, allez donc à l'hôpital pour aider votre épouse.

Rob lui adressa un sourire reconnaissant.

— Merci, Jane.

Jane retourna dans son bureau et consulta les documents que lui avait laissés Rob. Rien n'était très urgent. Aussi se résolut-elle à prendre l'adresse de James Harris. Si elle attendait trop, la voiture pourrait bien disparaître.

Elle demanda à Flora d'appeler Bert pour la saisie et se rendit chez elle. Peut-être pourrait-elle s'emparer de la voiture sans être vue par Frank ?

Elle ôta sa robe puis se démaquilla. En même temps, elle réfléchit à ses chances de trouver un travail à Brandenburg. Il y avait là-bas une des plus grandes sociétés de crédit pour automobiles. Si elle obtenait de Palmer une recommandation, peut-être y trouverait-elle une place ?

Elle attacha ses cheveux et se regarda dans le miroir. Sans maquillage, elle passerait plus inaperçue. Elle s'amusa à rendre ses traits plus durs et circonspects. Finalement, elle y renonça et se vêtit d'un vieux jean et d'une chemise débraillée. Elle ôta ses bijoux, mit ses tennis et, satisfaite, repartit en direction de Bradwood.

Elle se gara dans le parking de Forsythe Arms et chercha des yeux la dépanneuse de Bert. Elle n'était pas encore là. En revanche, bien en évidence, elle vit la voyante Chevrolet rouge de Frank. Bert allait arriver d'une minute à l'autre et elle voulait en finir le plus vite possible, de crainte que Frank ne l'aperçoive.

Forsythe Arms appartenait à un petit groupe d'immeubles, situés de part et d'autre d'une cour vide. En regardant les portes, Jane vit que le 223 faisait face à l'appartement où elle avait vu entrer Frank l'autre fois. Elle monta rapidement les marches métalliques et marcha à pas feutrés sur le palier.

Elle frappa à la porte du 223. On entendait des voix masculines à l'intérieur.

— Oui ?

— Je veux parler à James Harris, dit Jane.

La porte s'ouvrit et un homme mince apparut sur le seuil. Derrière lui, Jane aperçut un homme plus robuste penché sur une table. Quelle ne fut pas sa surprise de découvrir des paquets de poudre blanche ! Elle détourna rapidement son regard. Elle n'avait pas pour mission d'arrêter des trafiquants de drogue.

— Je viens saisir votre voiture. Vous n'avez pas réglé vos traites et je vous demande donc de m'en donner les clés à moins que vous ne me remettiez un chèque couvrant le montant que vous devez.

— Qui donc êtes-vous ?

L'homme qui lui avait ouvert la regardait avec suspicion. Son compagnon avait dissimulé la poudre sous un plastique mais son visage avait une expression menaçante.

— Mon nom n'a pas d'importance. Je travaille pour la Société de crédit Palmer.

Bien qu'elle sentît monter la peur en elle, elle s'efforça de garder une voix calme.

— Les clés, s'il vous plaît.

L'homme esquissa un sourire.

— Vous ne semblez guère de taille à me les prendre de force. Mais entrez donc, nous pourrions bavarder un peu.

Sa voix morne et ses pupilles dilatées indiquaient qu'il avait pris de la drogue avant son arrivée.

Jane haussa le ton.

— Nous n'avons rien à nous dire. Donnez-moi les clés. Tout de suite.

Avant qu'elle n'ait pu esquiver son geste, il lui attrapa le bras et la tira vers lui. Jane, au lieu de résister, se laissa faire et, saisissant son poignet, roula sur le sol en l'entraînant avec elle.

Son compagnon poussa un cri et sortit un revolver de la ceinture de son pantalon. Jane lui prit le bras et, avant qu'il ait le temps de comprendre, il s'affala sur le sol, à son tour. En tombant, son revolver se déchargea. La détonation résonna dans tout le quartier.

La voiture importait peu maintenant. Elle courut vers la porte, au moment où l'un des hommes se relevait.

Sans se retourner, elle se précipita vers sa voiture. Bert n'était toujours pas en vue. Quant aux deux personnages douteux, ils avaient renoncé à la poursuivre, sans doute trop occupés à faire disparaître les sachets de drogue. Tandis qu'elle démarrait sur les chapeaux de roues, un violent tremblement s'empara d'elle. Elle prit aussitôt la direction du poste de police.

A bout de souffle, elle raconta toute l'histoire à l'officier en fonction. Il prit ses dispositions pour faire arrêter les habitants du 223.

Après avoir quitté le commissariat, Jane retourna chez elle. Toutes ces émotions l'avaient rendue physiquement malade.

A peine arrivée, elle retira ses vêtements. Ses côtes la brûlaient comme si elle avait été blessée. Elle constata alors seulement qu'elle avait été effleurée par une balle.

Jane nettoya l'éraflure et revêtit son plus vieux chemisier. Elle souhaitait la présence de Frank mais ne pouvait l'appeler. Tristement, elle se rendit dans le salon et s'installait sur le divan pour regarder la télévision, lorsque quelqu'un frappa à la porte. Elle ouvrit grand les yeux, son visage pâlit.

— Jane, ouvrez-moi ! cria Frank.

Pleine de gratitude, elle se précipita vers la porte et la déverrouilla. Il la regarda avec colère.

— Qu'avez-vous encore fait ? demanda-t-il. Toute la ville dit que vous vous êtes trouvée mêlée à un règlement de comptes.

Ce n'était pas tout à fait vrai. Il avait entendu la détonation et avait vu un homme allongé sur le balcon en face du sien. Un voisin qui avait été témoin de la scène la lui avait racontée. La description de la femme qui s'enfuyait lui avait permis d'identifier Jane.

— Je m'inquiétais pour vous et je vous trouve tranquillement assise devant la télévision. N'êtes-vous pas blessée au moins ?

Il criait pour dissimuler son anxiété.

— Très légèrement, dit-elle simplement.

— Légèrement blessée ? Comment cela ?

Il la regarda.

— J'espère que vous avez appelé un médecin ?

— Ce n'est pas grave.

Elle ouvrit son chemisier et lui montra l'endroit où la balle avait effleuré la peau.

— C'était une balle perdue, dit-elle. Je l'ai échappé belle.

Frank la prit dans ses bras et enfouit son visage dans son cou. Elle aurait pu être tuée. Sa main caressa sa joue ; il n'osait lui parler.

— Peut-être aviez-vous raison, dit Jane. Ce travail est sans doute trop dangereux.

Il la serra plus fort et un voile obscurcit son regard.

— Que ferais-je si je vous perdais ? s'écria-t-il. Je craignais tant de ne pas vous trouver ici et d'apprendre que vous étiez à l'hôpital. Je vous ai entendue vous enfuir mais j'étais rongé d'inquiétude. Jane, il ne faut plus recommencer. J'ai eu trop peur pour vous.

— Je vais bien. Vraiment. Je suis seulement un peu remuée.

Le son de sa voix l'avait touchée. Lui aussi était proche des larmes.

— Ne m'abandonnez jamais, dit-elle.

— Non, jamais. Je vous protégerai malgré vous.

Il écarta légèrement les cheveux de son visage.

— Voulez-vous que je reste avec vous ?

Sans un mot, elle acquiesça d'un signe de tête.

— Je ne veux plus vous quitter. La semaine prochaine, nous nous marierons. D'accord ?

De nouveau, elle hocha la tête, trop émue pour pouvoir parler.

Chapitre 16

Jane alluma la télévision et rejoignit Frank sur le divan. Ces derniers jours avaient été merveilleux. Chaque soir, en revenant de son travail, elle le retrouvait dans son appartement et toujours il l'accueillait avec chaleur. Bien souvent, il avait préparé le souper et elle avait enfin la joie d'avoir quelqu'un qui se souciait d'elle. Mais elle ignorait toujours quelles étaient ses occupations dans la journée pendant qu'elle travaillait.

Elle le regarda, comme pour fixer dans sa mémoire ses cheveux roux, le dessin de ses cils, ses yeux d'un vert sombre. Bien qu'il semblât parfaitement décontracté, elle le connaissait assez pour sentir la tension qui se cachait au plus profond de lui-même. Elle n'osait pas lui demander d'explications, car elle pressentait que l'événement qu'elle redoutait aurait lieu le lendemain.

Un flash de publicité fit résonner une musique entraînante dans la pièce. Frank avait l'air pensif. Jane ne le quittait pas des yeux. Il était si mystérieux ! A vrai dire, elle savait maintenant ce qu'il n'était pas mais ignorait presque tout de ce qu'il pouvait être. Si seulement il se confiait à elle, peut-être pourrait-elle l'aider ? Mais jusqu'à présent, il s'y était toujours refusé.

— Comment s'est passée votre journée ? lui demanda-t-elle.

— Chut ! répondit-il en désignant la télévision. Vous êtes la vedette.

Elle suivit son regard et se vit sur l'écran. Un reporter l'interrogeait sur sa participation à l'arrestation des trafiquants de drogue. Elle s'entendit répondre, puis le journaliste conclut en déclarant que le crime n'était pas payant.

— Suis-je vraiment ainsi en réalité ? demanda Jane. Et ma voix ! Je ne savais pas que j'avais un tel accent. On dirait une provinciale.

— Pas du tout, rétorqua Frank. Vous êtes belle et votre voix est agréable. De toute façon, je vous aime telle que vous êtes.

Jane sourit et changea de conversation.

— Je suis contente qu'ils aient capturé ces deux gangsters. Ces gens ne méritent que la prison.

Elle attendit sa réponse.

— Je suis bien d'accord avec vous. Qui sait combien de vies ils peuvent avoir détruites, combien d'enfants ils ont intoxiqués !

Visiblement, il n'était pas compromis dans un trafic de drogue. Jane s'en doutait déjà mais cette confirmation ne pouvait que la réconforter davantage.

— Votre plaie vous fait souffrir ?

— Non. Je ne ressens pour ainsi dire plus aucune douleur.

— Vous avez eu une chance folle. Quand je pense que j'aurais pu vous perdre ! Jane, êtes-vous sûre de vouloir continuer ce travail ?

— Vous me laisseriez poursuivre ? demanda-t-elle surprise.

— Pas de bon cœur, mais comment pourrais-je vous arrêter ? Je respecte vos idées.

— Je vous aime, Frank, dit-elle doucement. Soyez content, je commence à penser sérieusement à revenir à mon ancien métier : l'enquête préliminaire. Dans ce domaine, j'ai un réel talent.

— Et modeste, commenta-t-il.

Elle ne donna pas suite à sa remarque.

— C'est un peu comme rassembler les pièces d'un puzzle ou résoudre un mystère. Au début, les saisies me semblaient passionnantes. Il y avait du suspense et puis je voulais me prouver que j'étais capable de réussir tout comme un homme. Par la suite, j'ai éprouvé quelques réticences à prendre les voitures des gens qui en avaient vraiment besoin.

Frank la serra contre lui et attendit calmement qu'elle poursuive.

— Le problème est que je n'ai pas peur. D'une certaine façon, j'ai l'impression que rien de mal ne peut m'arriver. En somme, je me sens comme dans un film. Quand ces gangsters ont essayé de m'agresser, je n'ai pas compris ce qui se passait. Mais cette blessure a provoqué chez moi une prise de conscience et j'ai décidé de ne plus jamais opérer de saisie.

Il laissa échapper un soupir de soulagement.

Le visage rayonnant de Red Sweeney apparut alors sur l'écran de télévision. Autour de lui, on jetait confettis et serpentins. Il leva la main en signe de victoire.

— M. Sweeney a été réélu maire, commenta Jane.

Bien que ce ne fût pas une surprise, elle fronça les sourcils.

— N'avez-vous pas voté pour lui ? demanda Frank. Je croyais qu'il faisait l'unanimité dans la ville.

— A mon avis, son adversaire avait un meilleur programme. Malheureusement, il avait moins de soutien et, de toute façon, le résultat était connu dès le départ.

Elle le regarda durement.

— Ne dites pas à ma grand-mère que je n'ai pas voté pour M. Sweeney.

— Faites-moi confiance.

Jane posa sa joue contre sa poitrine et écouta les battements réguliers de son cœur.

— Frank, ne partez pas demain, dit-elle brusquement.

D'instinct, il la serra plus fort.

— Je le dois. Cela ne durera pas longtemps.

— Où irez-vous ? Que cherchez-vous ?

— Pas de questions ! dit-il d'un ton taquin. Je veux que vous soyez prête à midi. Nous irons déjeuner à Brandenburg, puis je vous montrerai où j'habite.

Jane pensa à Forsythe Arms et retint un frisson. Voulait-il qu'ils habitent là-bas après leur mariage ?

— N'avez-vous jamais songé à vous installer définitivement chez moi ?

Il jeta un œil sur son appartement.

— Pour l'instant, ce serait suffisant mais ce sera bien trop petit quand nous aurons des enfants. N'aimeriez-vous pas un jardin où ils puissent jouer ?

Sans lui laisser le temps de répondre, il ajouta :

— Venez voir chez moi d'abord. Et si cela ne vous plaît pas, nous trouverons un autre endroit.

— Je vous remercie de cette attention.

Jane hésita un instant avant d'ajouter :

— Frank, je sais ce qui va se passer demain.

Il se crispa.

— Que voulez-vous dire ?

— Je ne sais pas dans quoi vous êtes impliqué, mais je suis sûre que ce n'est pas de votre faute. Peut-être êtes-vous victime d'un chantage. Je suppose que c'est votre beau-frère, Jay Malcolm, qui est derrière toute cette affaire. Evidemment, vous ne pouvez pas dénoncer le frère de Nora à la police mais vous ne devez pas non plus vous mettre dans une situation illégale. Renoncez, Frank.

Frank était émerveillé par son imagination.

— C'est incroyable, dit-il d'un ton amusé.

— Je suppose que Jay Malcolm doit se livrer à des cambriolages ou quelque chose de ce genre. Je vous en prie, Frank, ne vous en mêlez pas. Si vous êtes capturé, vous irez en prison ! Appelez-le et dites-lui que votre pacte est rompu.

— Vous êtes étonnante, reprit Frank.

La façon dont Jane avait monté toute cette histoire le déroutait.

— Si cela est vrai, et je ne dis pas que c'est le cas, m'épouseriez-vous quand même ?

— Oh ! oui, Frank !

Elle le regarda bien en face.

— Il n'y a aucun mal en vous, je le sais. Vous êtes seulement impliqué malgré vous dans une sale histoire.

Il sourit.

— Demain, je vous dirai tout.

— Vous tenez donc à aller jusqu'au bout ?

— Je le dois.

Elle soupira tristement et posa sa joue contre sa poitrine.

— De toute façon, je vous aime.

Jane le regarda s'habiller. Ses yeux sombres exprimaient la douleur. Frank aurait aimé lui parler mais il ne trouva rien à dire. Il se contenta de se concentrer sur ce qu'il faisait. Il la savait malheureuse, hostile à son projet, et il était responsable de cette situation. Pire encore : quelques phrases auraient suffi à la rassurer, mais il ne pouvait s'expliquer. Car Jane essaierait de l'aider d'une manière ou d'une autre et elle courrait elle-même de grands risques. Non, mieux valait se taire et agir comme il l'avait prévu.

Frank se rendit dans la salle de bains, se rasa et s'observa longuement dans la glace. Il avait pris l'allure de Jay Malcolm.

Après avoir vérifié que la porte de la chambre était bien fermée, il sortit une petite cassette de son sac. Puis il déboutonna sa chemise et mit l'émetteur en place. Enfin, il appuya sur un bouton et dit :

— Ici, As numéro un. J'espère que vous m'entendez. Je pars dans un instant.

Il regarda sa montre.

— Il est huit heures cinq. Je serai sur place à huit heures vingt-cinq.

Il fit une pause.

— Quoi qu'il arrive, n'intervenez que lorsque je donnerai le signal.

Il boutonna sa chemise et retourna dans la chambre.

— Vous me parliez ? demanda Jane. J'ai cru entendre votre voix.

Il lui sourit.

— Non. Ne vous inquiétez pas. Je serai de retour à midi.

Elle le regarda comme si elle devait ne plus jamais le revoir.

— S'il vous plaît, n'y allez pas, Frank.

Frank prit conscience que leur conversation était perçue par des détectives et des escouades de police.

— A plus tard, dit-il brièvement.

Il s'approcha d'elle et l'embrassa.

Jane serra les poings en le regardant partir. Elle n'avait pas réussi à le convaincre.

Quand elle pensa qu'il avait eu le temps de démarrer, elle jaillit du lit, s'habilla à la hâte, glissa son permis de conduire dans sa poche et prit ses clés.

Un rapide coup d'œil l'informa qu'il prenait la direction d'Award. Elle se précipita dans sa voiture et mit le moteur en marche. Elle se maintint à une certaine distance et prit soin de toujours laisser quelques véhicules entre leurs deux voitures. Au coin de la 23e Rue, elle vit un car de police se faufiler dans la circulation derrière Frank. Elle sentit aussitôt son cœur battre la chamade. Son appréhension était purement gratuite puisque Frank respectait la vitesse réglementaire et ne faisait rien qui puisse attirer l'attention des policiers. Deux rues plus loin, le car tourna. Frank avait continué tout droit.

A la grande surprise de Jane, il ne s'engagea pas dans la rue qui menait à Bradwood. Sans doute Jay avait-il donné rendez-vous à Frank autre part.

Il tourna en direction des entrepôts et Jane le suivit. Il y avait moins de circulation, aussi s'efforça-t-elle de maintenir une distance plus grande entre les deux voitures. Bientôt, il entra dans un parking et s'arrêta près de la porte latérale d'un entrepôt.

Elle fronça les sourcils. Qu'espérait-il voler dans un hangar ? Elle se gara contre le rebord du trottoir, traversa le parking puis se précipita vers le bâtiment où Frank venait de pénétrer. Elle avait juste eu le temps de se cacher derrière une grande poubelle lorsqu'une autre voiture arriva.

Deux hommes en sortirent et regardèrent autour d'eux. L'un lui était étranger, mais l'autre était facilement reconnaissable. C'était le maire, M. Sweeney. Tandis qu'ils se dirigeaient vers la porte, un nouveau véhicule fit son apparition.

Un homme sec, avec des cheveux noirs, en sortit. Il semblait particulièrement nerveux. Jane se fit encore plus petite. A travers les caisses qui débordaient de la poubelle, elle vit l'homme s'avancer à son tour vers la porte. Elle remarqua que ses lèvres bougeaient comme s'il parlait à quelqu'un. Avant d'entrer, il palpa la poche de son manteau comme pour contrôler quelque chose. Puis, il disparut dans le bâtiment.

Frank déambulait de voiture en voiture. Toutes avaient été fraîchement repeintes, mais la poussière qui les recouvrait n'en laissait rien voir.

Le bruit de la porte le fit sursauter. Il ne put dissimuler sa surprise lorsqu'il vit apparaître, à côté de Trask, la figure familière du maire, M. Sweeney.

— Red, dit Trask, voici Jay Malcolm, l'homme dont je vous ai parlé.

Le politicien serra la main de Frank.

La porte s'ouvrit encore et Moe apparut, visiblement irrité. Trask fronça les sourcils.

— Que fais-tu là ? Je t'avais envoyé chercher de la peinture.

Moe se renfrogna et enfonça ses mains dans les poches de son manteau.

— Joe peut très bien me remplacer. Et j'ai le droit de savoir ce qui se passe ici.

Red ne lui prêta aucune attention et Trask se détourna de lui. Frank, cependant, l'observait. La colère brillait dans son regard et il était si tendu qu'on pouvait le voir trembler.

Frank s'adressa à Red Sweeney.

— Mon patron commençait à se poser des questions.

Il marqua un temps de pause puis désigna les deux rangées de voitures.

— Mais je vois qu'il n'avait pas à s'inquiéter.

— C'est une grosse affaire, dit le politicien.

Sa voix se voulait joviale et rassurante.

— Je tiens toujours mes engagements.

Il regarda fièrement une rangée, puis l'autre.

— Il n'y a que des voitures de luxe ici.

— D'où viennent-elles ?

Red eut une expression rusée.

— Peu importe, dit-il.

Frank croisa ses bras mais, se souvenant qu'il avait son microphone caché sous sa chemise, il les baissa aussitôt.

— Et maintenant, parlons de la livraison, dit-il. Il est prévu que vous emmeniez vous-mêmes toutes ces voitures en Californie.

— Pas de problème, dit Red. Quelques-unes

partiront ce soir. J'ai une douzaine de chauffeurs à ma disposition. Ils croient qu'il s'agit d'un commerce légal et qu'elles doivent être vendues à un grossiste californien. Lundi prochain, on en chargera une vingtaine sur un bateau spécialisé dans ce genre de transport.

— Et le reste ?

— Elles seront livrées quelques jours plus tard à Sacramento. Vous trouverez tous les détails là-dessus.

Il lui tendit un papier couvert de notes.

— Et vous, avez-vous l'argent ?

Red le dévisageait avec des yeux froids et sagaces. Il ne ressemblait en rien à l'homme paternaliste qui s'affichait dans les meetings.

Tandis que Frank fouillait sous sa chemise, il vit la tension de Moe augmenter. Il sortit une enveloppe, pleine de billets... des coupures de cent dollars.

— Voilà la moitié, comme promis. Le reste sera payé au terme de la livraison.

Red fronça les sourcils.

— Pourquoi ces précautions ? Vous n'auriez pas confiance ?

— Mon patron agit toujours ainsi. J'avais cru comprendre que vous étiez d'accord.

Red tendit la main et s'empara de l'argent.

Au même moment, Moe tira un revolver de sa poche. Red et Trask le regardèrent un court instant sans comprendre, puis il y eut une première détonation.

Red chancela et tomba lourdement contre Trask qui à son tour reçut une balle en pleine poitrine. Il s'écroula le premier. Moe tira une troisième fois pour achever le politicien et tourna son arme vers Frank.

— Attendez, cria-t-il. Attendez, Moe. Si vous me tuez, mon patron ne vous enverra pas le reste de l'argent. Nous sommes amis et il n'apprécierait pas que je sois assassiné ici. Mais si vous le voulez, je peux traiter directement avec vous maintenant.

Moe hésita.

Prudemment, Frank se pencha et prit l'argent des mains de Sweeney. Il le donna à Moe.

— Voilà. Peu nous importe avec qui nous traitons. Ce que nous voulons, ce sont les voitures.

Moe s'apaisa un peu et tendit lentement la main pour prendre l'argent.

— Posez ce revolver, Moe. Vous êtes le patron maintenant.

— Je suis le patron, ricana Moe. Je l'ai toujours été, voyez-vous. C'est moi qui dirigeais cette affaire. J'ai même trouvé l'entrepôt. Et qu'y ai-je gagné ? Rien. Trask avait tous les privilèges. On lui donnait toujours la meilleure part du gâteau et moi, je n'avais droit qu'aux miettes.

— Vous avez raison, Moe. Ils vous ont maltraité, s'empressa de dire Frank. Maintenant, posez ce revolver et finissons-en.

— Et pourquoi en passerais-je par vos conditions ? Non, j'ai une meilleure idée. Nous allons sortir de l'entrepôt, vous et moi, et vous allez appeler votre patron pour qu'il envoie tout de suite l'argent.

— Il n'acceptera jamais.

— S'il veut vous revoir en vie, il le fera certainement.

Moe ricana.

— Sortez.

Frank prit une profonde inspiration et marcha en direction de la porte. Si le parking était plein de voitures de police, Moe commencerait à paniquer. Mais il était probablement encore vide. Aussi, décida-t-il de prévenir ses amis par l'intermédiaire du microphone.

— J'espère que les coups de revolver n'ont pas éveillé l'attention. Ce serait mauvais si on nous attendait dehors.

— Vous avez raison. Le mieux est que vous sortiez le premier. Comme ça, s'ils tirent, ce sera sur vous.

Frank ouvrit la porte et constata, comme il s'y attendait, que le parking était vide. Pour mieux le couvrir, ses collègues devaient être disséminés un peu partout.

Jane se dissimula derrière la caisse qui lui servait d'abri. Quand elle avait entendu tirer, son cœur avait failli cesser de battre. Elle s'était relevée et avait vaguement pu voir ce qui se passait à travers les carreaux. Ainsi elle avait pu constater que Frank était encore en vie.

Quand il sortit, il s'approcha si près de l'endroit où elle était cachée que son jean l'effleura presque. Mais il regardait dans le parking et ne la vit pas. Lorsque Moe émergea à son tour, elle fit ce qui lui semblait le plus sûr : elle tira sur sa veste.

Le contact était si inattendu que Moe regarda partout autour de lui, cherchant en vain un assaillant.

Aussitôt, Jane se redressa et lui assena un coup de pied particulièrement douloureux. Il se plia en deux, tandis que son visage exprima un mélange de douleur et de surprise. Elle en profita pour saisir son revolver. La gachette était

216

plus sensible qu'elle ne le pensait et une détonation sourde brisa le silence. Au même moment, les sirènes des voitures de police résonnèrent.

— Fuyez, Frank ! s'écria-t-elle.

A sa grande surprise, Frank s'élança vers elle.

— Donnez-moi ce revolver avant de tuer quelqu'un.

Il le lui prit des mains. Jane tremblait.

— Vous êtes complètement fou ! hurla-t-elle. Vous allez vous faire arrêter ! La police sera là dans une seconde !

— Je fais partie de la police, cria-t-il à son tour.

Deux voitures de patrouilles arrivèrent en trombe dans le parking et quatre officiers se précipitèrent vers Moe pour lui passer les menottes.

— Vous êtes de la police ? dit-elle d'une petite voix. Vous n'êtes pas un gangster ?

Frank fit signe aux policiers d'entrer dans l'entrepôt, puis il se tourna vers Jane.

— Eh oui ! Je suis du bon côté de la barrière. Etes-vous déçue ?

Elle sauta à son cou et l'étreignit de toutes ses forces. Des larmes coulèrent sur ses joues.

Frank sourit.

— Hé ! Vous pleurez ?

Sans un mot, Jane essuya ses larmes.

Il lui prit la main et embrassa sa joue humide.

— Ne vous retenez pas, dit-il.

Jane le regarda. Toute sa vie, on lui avait appris à ne pas pleurer. Même Doug le lui reprochait. Mais Frank visiblement s'en moquait. Elle se mit à pleurer de plus belle.

Frank passa son bras autour de ses épaules, puis il retira le microphone de sa chemise.

— As numéro un au quartier général, dit-il. Opération accomplie. Un homme arrêté, deux morts. Quant à moi, je vous quitte.

Il détacha l'émetteur, comme pour marquer sa décision.

— Qu'avez-vous voulu dire ? demanda-t-elle. Que quittez-vous ?

— Mon travail. J'arrête officiellement lundi. Maintenant, je veux être un citoyen paisible. Un père de famille ne doit pas avoir une profession trop dangereuse. Je redeviendrai ingénieur.

Jane le regarda.

— Un père de famille ? Vous voulez vraiment fonder un foyer ?

— Oui. Pas vous ?

Elle se sentit émue.

— Si ! dit-elle enfin.

Il la serra plus fort et caressa encore sa joue humide.

— Oui, j'aime vos larmes. Vous semblez ainsi plus vulnérable.

Elle se tourna vers lui.

— Je vous aime, je veux vous épouser et vous donner des enfants, Frank. Mais sachez bien une chose : je ne suis pas douce et encore moins vulnérable, et si je pleure maintenant, c'est de bonheur.

Comme ils arrivaient à la voiture, Frank lui ouvrit la portière.

— Je vous aime, Jane, et je suis sûr que nous allons former un couple merveilleux.

Elle le regarda fermer sa porte et lui sourit quand il prit place à ses côtés.

— Moi aussi, je vous aime.

Ce livre de la *Série Harmonie* vous a plu. Découvrez les autres séries Duo qui vous enchanteront.

Coup de foudre, une série pleine d'action, d'émotion et de sensualité, vous fera vivre les plus étonnantes surprises de l'amour.

Série Coup de foudre : 4 nouveaux titres par mois.

Désir, la série haute passion, vous propose l'histoire d'une rencontre extraordinaire entre deux êtres brûlants d'amour et de sensualité. *Désir* vous fait vivre l'inoubliable.

Série Désir : 6 nouveaux titres par mois.

Amour vous raconte le destin de couples exceptionnels, unis par un amour profond et déchirés par de soudaines tempêtes. *Amour* vous passionnera, *Amour* vous étonnera.

Série Amour : 4 nouveaux titres par mois.

Série Harmonie : 4 nouveaux titres par mois.

MURIEL BRADLEY
Les orchidées du Pacifique

Entre deux orages...

– Regarde ce paysage! N'est-ce pas magnifique?
– Certes, répond Jennifer à sa sœur.
Mais je te l'ai déjà dit, ma vie
n'est pas ici.

Jennifer Beldon habite sur le continent
américain. Si elle est revenue dans
l'archipel hawaïen, c'est avec un seul but:
régler une affaire de famille et repartir
aussitôt.

Mais, très vite, elle se heurte à la puissance
d'un richissime homme d'affaires.

Et Jack Mc Henry est un adversaire
d'autant plus redoutable qu'il exerce sur elle
une immense fascination...

Série Harmonie

MONICA BARRIE
A cœur joie

Un torrent de passion

Intrépide, ardente, romantique,
Dina Harwell quitte New York pour
retrouver les vertes collines de son
Kentucky natal et réaliser son rêve
le plus cher.

C'est alors que, le sourire enjôleur, le visage
fier et tendre, Tony Chandlor surgit
dans la vie de Dina.

Est-ce un obstacle ? Est-ce une chance ?

Quand un coup de théâtre mettra fin à
l'oppressante incertitude, le regard vert
de la fougueuse jeune femme trouvera-t-il
enfin l'éclat du bonheur ?

Série Harmonie

BROOKE HASTINGS
Rêves d'or

Les jeux
étaient-ils faits ?

Au détour de sa vie professionnelle,
Laura Silver découvre, avec émoi,
le charme captivant de Gregory Steiger.

De son côté, Gregory donnerait
volontiers tout ce qu'il possède pour prendre
Laura dans ses bras et dissiper le nuage
qui obscurcit son regard.

Mais elle repousse cet homme qui,
pourtant, la trouble comme aucun autre.

Nous n'aurions jamais dû nous connaître,
se dit-elle.

Son cœur a ses raisons que sa raison approuve.
Mais pour combien de temps ?

Duo *Série Harmonie*

Ce mois-ci

Duo Série Coup de foudre

Duo Série Désir

Duo Série Amour

Achevé d'imprimer sur les presses de l'Imprimerie Bussière
à Saint-Amand-Montrond (Cher)
le 22 avril 1985. ISBN : 2-277-83063-1. ISSN : 0763-5915
N° 723. Dépôt légal : avril 1985. Imprimé en France

Collections Duo
27, rue Cassette   75006 Paris
diffusion France et étranger : Flammarion